大人もときめく

国語教科書の名作ガイド

著 山本茂喜 ／ イラスト 野宮レナ

TOYOKAN BOOKS

はじめに

もらったばかりの、新しい国語の教科書を読むのが好きでした。インクのにおいを胸いっぱいに吸い込みながら、わくわくして見知らぬ物語を読んだことを覚えています。中学生の時、東京に行く新幹線の中で新しい教科書を読みふけっていて、隣の見知らぬおじさんから、「国語好きなんだねえ」とあきれたように話しかけられたこともありました。

日本の国語教科書は、短編小説や童話、詩の名作・傑作を集めたアンソロジーです。これは欧米どころかアジアでも珍しい形態です。おかげで私たちは小、中、高校と素晴らしい文学作品に触れることができます。

活字に縁がない、家庭に本が一冊もないという人も多いのが現実でしょう。そのような方にも、文学との出会いを提供してくれるのが国語の教科書です。

私のような地方のごく一般家庭に生まれ、エリート学校に通ったわけではない者にも、等しく文化と教養を与えてくれたのが国語の教科書なのです。

残念ながら高校のカリキュラムが変わり、文学に触れることが格段に少なくなることが懸念されています。小中学校でも、詩はすっかり少なくなっていますし、いろいろな制約によって掲載できる作品が減り、書き下ろしの作品が増えています。そんな時代だからこそ、国語教科書の名作たちを今一度振り返ってみたいと思います。

今をときめくミュージシャンのＡｄｏさんは、国語教科書の「柿山伏」という狂言から名付けたそうです。狂言の演者のシテ（主役）とアドですね。ちなみにファーストアルバムのタイトルも「狂言」です。私の郷里の地名が「柿山伏」ということもあり、このエピソードはとても印象的でした。

国語教科書の物語は、不思議なほど心に残っています。たとえ忘れていたとしても、「クラムボン」（「やまなし」）や「エーミール」（「少年の日の思い出」）という言葉が引き金となって、その時代の思い出までもが蘇ってくることでしょう。

最近も、光村図書が「教科書クロニクル」というサイトを設けたことが話題になりました。生年月日から自分の使っていた教科書が検索できるサイトです。それだけ懐かしい教科書の物語を読み返したいという人が多いのだと思います。

そんな国語教科書の古びることのない名作たちをもう一度味わってみたい。大人になった今の目でもう一度読んでみよう。本書は、そんな目的で作られました。教科書の名短編を集めた本はいくつか出版されていますが、本書では名作の紹介と読み方（の一例）、そして「うんちく」を綴っています。それが本書の特色です。

「国語の授業は余談の面白さ」だと元高校教師の作家 北村薫さんは述べています（『教科

書と近代文学』秀明大学出版会 2021)。まさにその通りで、余談の方が鮮明に覚えているという方も多いでしょう。この本では、できるだけいろいろな角度から、名作たちにまつわる「余談」も紹介してみました。

また、蛇足ながら、作品にちなんだ自作の短歌を添えてみました。物語を読んで、短歌や俳句を詠むという活動は、とても楽しく手軽にできる創作体験だと思います。ぜひ読者のみなさまも試してみてください。お子さんやクラスの子どもたちと一緒にやってみるのもおすすめです。

では、これから胸ときめく国語教科書のタイムトラベルへとご一緒しましょう。

大人もときめく国語教科書の名作ガイド

もくじ

第3章 「ごん、お前だったのか」～愛おしい動物たちのお話～

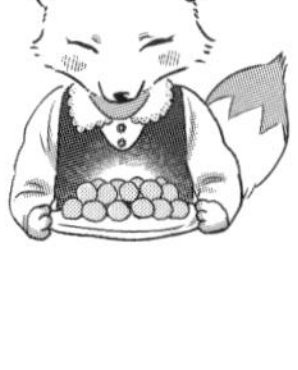

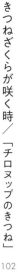

第4章

「そうか、そうか、つまり君はそんなやつなんだな」
～遠ざかる思い出はセピア色～

第5章

「そんなにもあなたはレモンを待っていた」
～文豪もときめきがお好き～

＊凡例＊
本書では、作品ごとに以下の情報を載せています。
❶作者名（生没年）
❷ 2023年 11月現在、入手可能な本
❸掲載された教科書および発行年
光村＝光村図書出版　東書＝東京書籍　教出＝教育出版　学図＝学校図書
日書＝日本書籍　大修館＝大修館書店　筑摩＝筑摩書房　三省堂

第1章

「そのとき、胸の中で何かがはじけた」

～初恋の日に戻れたら～

初恋が心の中ではじける時

赤い実はじけた

名木田恵子

「赤い実がはじけるって、どんな感じかしら。突然来るって、わたしにはいつかな――。」

想像すると、なんだかどきどきしてくる。

千代がいったのは、本当だった。それは、まったく突然――。急に胸が苦しくなって――。

パチン。

思わず飛び上がるほど大きな音を立てて、胸の中で何かがはじけたのだ。

（光村図書　小6）

❶名木田恵子：1949（昭和24）年～

❷『光村ライブラリー15　ガラスの小びん ほか』光村図書出版 2002

❸光村小6／平4・8

こんなお話

夏休み、いとこの千代の家にお泊まりした綾子。

ふとんのなかで千代から、ある話を聞きます。同級生の一夫くんの横顔に夕日が当たった瞬間、胸の中で赤い実がはじけたというのです。

綾子の同級生の哲夫は、魚屋「魚進」の男の子。何だかこわくて、綾子の苦手なタイプでした。

ある日、風邪を引いたお母さんの代わりに買い物に出かけた綾子は、きらきらと目を光らせながら「日本一の魚屋になりたい」と夢を語る哲夫の姿を目にします。その瞬間、綾子の胸の中で特大の音を立てて赤い実がはじけたのです。

翌朝、魚のようにすいすいと追い抜いて走って行く哲夫の後ろ姿を見ながら、今夜、千代に手紙を書こうと綾子は思うのでした。

今から15年ほど前、記憶に残っている教科書作品を大学生に聞いてみると、実に多くの女子学生が、「赤い実はじけた」をあげたものでした。圧倒的な支持でした。

少女漫画『キャンディ♡キャンディ』の原作者でもある名木田恵子さんによる、教科書のための書き下ろし作品です。なぜ、そこまでみんなの印象に残っているかというと……、やはり、これが「初恋の話」だからでしょう。国語教科書には非常にめずらしいです。掲載から30年近く経ちますが、現在に至るまで、小学校では他に思いつきません。中学校でも、安東みきえ「星の花が降るころに」（初恋と言ってもその前段階ぐらいのほのかなものですが）や、島崎藤村の詩「初恋」があるくらいではないでしょうか。

夏休みに、いとこの千代から、ふとんの中で聞いた話。それは、同じクラスの男の子の横顔に夕日が当たった瞬間、突然胸の中で赤い実がはじけた、という話でした。

「綾ちゃんも、いつか赤い実がはじけるわよ。そしたら教えてね、地震みたいに突然来るんだから」

そして、綾子にもその瞬間は来たのでした。

「赤い実がはじける」――他にもいろいろな表現ができそうです。「赤い実はじけた」を別のことばで置きかえて千代ちゃんに手紙を書くという授業をしたことがあります。「心の中に薔薇の花が咲いた」とか、「ピンクの海が広がった」とか、「とつぜん、きゅんって声を立てて、胸の中で小鳥が鳴いた」とか、みんないろいろと考えて書いていました。あなたなら、どのように表現するでしょうか。

でも、これは大学生だからできること。小学６年生にはなかなか難しいようです。まず、この「赤い実はじけた」という気持ちの変化自体、小学生がみんなわかるとはいかないみたいですね。そういう体験がない子どもにはうまく説明できません（クラスの少なくない子どもたちが、「綾子は哲夫がきらい」と答えると聞いたことがあります）。

元ＡＫＢ48の指原莉乃さん作詞の「この空がトリガー」という曲（２０２３）がありますが、なぜ「空」や「夕日の当たる横顔」や「夢を語る少年」が恋のトリガー（引き金）になるのか。大人が思うよりも、子どもたちにとっては不思議なことなのかもしれません。

また、「赤い実はじけた」という表現は、そんな「心

の変化」の比喩、しかも隠喩です。隠喩は発達段階的に、小学校高学年でもなかなか理解できません。

こういった理由から、人気作のわりには、比較的早く教科書から姿を消したのでしょう(でも、その気持ちが「わかった」子どもたちにはすごく印象に残る作品だったということですね)。

ところで、「赤い実はじけた」というのは一目惚れのたとえのようですが、よく読むと違います。千代ちゃんも綾子も、前からよく知っている男の子のふとした瞬間に、赤い実がはじけるのです。しかも綾子の場合は、どちらかというと苦手な相手でした。

たまに、男の子から「一目惚れした」と告白された女子学生の話を聞きますが、たいていの女の子は、「信じられない」と言います。逆に、旧知の女の子に対して、ある日突然「赤い実がはじける」ということは男には少ないような気がします。

これは個人的な印象なので、男女の違いがあるかどうかはわかりませんが、「赤い実がはじける」瞬間は様々のようです。

ちなみに……

このお話はよほど印象に残るのか、バーチャルシンガーとして有名な初音ミクの歌う曲にもなっています。タイトルはずばり「赤い実はじけた」(2008)です。いかにも今時の曲になっていますが、内容は教科書そのものです。作者のsamfreeさんは若くして亡くなられたようですが、昭和59年生まれですので、まさに小学生の時に教科書で読み、大人になってからオマージュした楽曲を作ったのでしょう。

この他にも、ハーゲンダッツが平成30年に「赤い実はじけた恋の味 マスカルポーネ&ベリー」というアイスを販売していますし、中高生の「心が変わる瞬間」の話を集めた『紅い実はじけた』（高橋那津子、エンターブレイン２０１３）というタイトルの少女マンガもあります。

もう少し長く教科書に採用していれば、かつての「カルピス」と同じように、「赤い実はじけた」が初恋の代名詞になっていたかもしれませんね。

赤い実が　はじけたような　音がした
夕日に染まる　あなたの横顔

傷つきやすいあの子の思い出

赤い実

井上靖

——少年老い易《やす》く学成り難《がた》し
——一寸の光陰軽んずべからず

そんな文字が洪作の目には映っていた。男の子でも書きそうな感じの大きな字で、何枚かつなぎ合わせた半紙に二行にしたためられてあった。少年老い易く学成り難し。この初めの一行の文章だけが、洪作には意味がわかった。洪作は身内の引き締まるような緊張を感じた。

（光村図書 中1）

❶ 井上靖：1907（明治40）～1991（平成3）年
❷『しろばんば』新潮文庫 1965　など
❸ 光村中1／昭56～平2　学図中1／昭56～平5（「わな」として掲載）

こんなお話

洪作は小学5年生。

1月14日の「どんどん焼き」には書き初めを投げ込みます。男女が一緒になるのは、一年のうちでこの日だけでした。男の子の一人が、女の子の書き初めを棒で火中から取り出します。転校生のあき子の書き初めには、「少年老い易く学成り難し」「一寸の光陰軽んずべからず」と大きな文字で書かれていました。

それを見た洪作は、いきなり立ち上がって土蔵へ帰り、勉強をしたいような気持ちになるのでした。

正月が過ぎた頃、あき子は、わなにかかったひよどりの死骸を見て、激しく泣き出しました。洪作は女の子の「まるで鳥の産毛のような傷つきやすい心」を感じ取るのでした。

「赤い実」は、井上靖の自伝的長編『しろばんば』の一節です。

大正の初め。主人公の洪作は、5歳の時から父母と離れて、伊豆半島天城山麓の山村にある土蔵で、血のつながらないおぬい婆さんと二人で暮らしています。

『しろばんば』は主に、洪作が小学2年生になる頃から、おぬい婆さんが亡くなり、中学受験のために浜松の小学校に転校する5年生の終わりまでが描かれています。

前編では、伊豆の陽光あふれる自然の中での子どもたちの生き生きとした遊びや、複雑な境遇に育ったやや内向的な少年・洪作の気持ちが繊細に描かれています。

この「赤い実」は、後編の中の一節です。思春期を迎えた洪作は、中学校進学を目指して猛勉強を始めます。当時は小学校から一人進学できるかという狭き門でした。

あき子は1学年上の6年生で、都会から転校してきた少女です。やはり女学校の進学を志しています。この場面、あき子は「それ、開けてはいや!」と叫んで書き初めを奪い返し、火の中へ入れます。漢文が男のものだという意識と、ただ一人女学校進学のために勉強していることへの恥じらいがあるのでしょう。洪作はあき子に対して、「賛嘆」と「賛美」の思いを抱きます。

「赤い実」には、あき子をめぐるもう一つのエピソードも描かれています。

ひよどりをつかまえるわな。赤い実は、わなにしかける餌のことなのです。わなにかかって死んでしまったひよどりの死骸を見て、あき子は突然激しく泣き出します。

あき子の「非難と抗議」を理解しながら、それに反発する気持ちも洪作にはありました。しかし、この事件から洪作はわなを作るのをやめます。

「洪作は女の子というものが、男の子と違って、ひどく痛みやすい感情をもっているものだということに気づいた。男の自分などが想像もできないほど繊弱な、まるで鳥の産毛のような傷つきやすい心を女というものはもっているのである。」

このエピソードは、このような洪作の気づきで締めくくられます。しかし、ここまで長編『しろばんば』を読んできた読者は、「いやいや洪ちゃ（洪作の呼び名）、あなたも十分繊弱で傷つきやすい心の持ち主だよ」と言ってあげたくなることでしょう。

最近では敏感で傷つきやすい子どもを「ＨＳＣ」と呼ぶようですが、詩集を出すために作家になったという井上靖は（詩集『北国』は名作です）、子どもの頃から繊細な心と詩的な観察眼をもっていたことがよくわかります。

この「赤い実」は、そんな子どもの細やかな心理を読むことができる作品なのです。

ちなみに……

「赤い実」は、私が中学校の教員になりたての頃に教えていたのでよく覚えています。学生の時から、友人の影響で井上靖が好きになり、三部作の『夏草冬濤』『北の海』も夢中で読破しました。いま改めて『しろばんば』を読んでみると、やはり頁をめくるのが止まらないほど面白い作品です。

かつては『しろばんば』や『夏草冬濤』は夏休みの課題図書の定番でした。しかし、今の子どもたちにはあまりに遠い世界を描いた作品かもしれません。石原千秋さんは、三好達治の名詩「雪」（太郎を眠らせ、太郎の屋根に雪ふりつむ／次郎を眠らせ、次郎の屋根に雪ふりつむ）を教科書に載せようとして、編集者に「都会の子はマンションに住んでいますから、リアリティーが感じられません」と却下されたというエピソードを紹介しています（『教科書で出会った名作小説一〇〇』新潮文庫 2023）。このような編集者にかかれば、『しろばんば』や『夏草冬濤』など、問題外ということになってしまうでしょう。

たとえマンションのエアコンの効いた部屋で読んだとしても、遠い時代の子どもたちの世界をありありと浮かび上がらせるのが物語の力です。また、時代や環境が離れていても、今の自分と変わらない普遍的な気持ちが描かれているのが物語のリアリティーでしょう。

教科書にはそのような作品こそ選んでもらいたいと思います。

『しろばんば』は昭和37年に映画化されています。「タイムスリップムービー」とも呼ばれ、まだまだ『しろばんば』の世界が残っていた日本の原風景を見ることができます。渓谷に湧き出している共同湯で遊んだり、日が暮れるまで裸で川の淵で泳いだり、今ではゲームの中にしか存在しないような「日本の正しい夏休み」が描かれています。

ところで、夏の遊びで思い出す童話が、宮沢賢治「風の又三郎」です。これはもともと大正期に書かれていた「さいかち淵」という子どもたちの遊びを描いた短編と、「風野又三郎」というファンタジーを合体させた物語です。「さいかち淵」で遊ぶ子どもたちの姿は『しろばんば』とも共通しています。大正期、子どもたちの生活をリアルに綴る作文が盛んでした。「風の又三郎」はその影響を受けてつくられた物語なのです。

赤い実を　ついばむ小鳥の　産毛のような
遠いあの日の　あの子の心

雪国のラブロマンス

わらぐつの中の神様

杉みき子

「――それから、若い大工さんはいったのさ。使う人の身になって、心をこめてつくったものには、神様がはいっているのと同じこんだ。それをつくった人も、神様とおんなじだ。おまんが来てくれたら、神様みたいに大事にするつもりだよ、ってね。どうだい、いい話だろ。」

おばあちゃんは、そう言ってお茶を飲みました。

(光村図書　小5)

❶杉みき子：1930（昭和5）年～
❷『わらぐつのなかの神様』はじめてよむ日本の名作絵どうわ5 岩崎書店 2016　など
❸光村小5／昭52～平27

こんなお話

雪国の夜。マサエのスキー靴はぐっしょりぬれて、なかなか乾きません。代わりにわらぐつをすすめるおばあちゃんに対して、「そんなくつ、みっともない」と言ってしまうマサエ。

それを聞いたおばあちゃんは、「そんなことをいうもんじゃない、わらぐつの中には神様がいなさるでな……」と言って、昔話を語り始めます。

むかし、おみつさんという娘が、雪げた欲しさにわらぐつを作って、朝市で売ることにしました。少し不格好だけど、心を込めて作ったわらぐつを、ようやくある若い大工さんが買ってくれました。その次の市も、またその次も……大工さんはかならずやってきて、買ってくれるのです。ある日、大工さんはおみつさんの顔を見つめながら言いました。

「なあ、おれのうちへきてくれないか。そして、いつまでもうちにいて、おれにわらぐつをつくってくんないかな」

おみつさんはぽかんとして、大工さんの顔を見ていましたが、やがて、白いほほが真っ赤になりました。

雪と言えば、昔、新潟の上越に住んでいた時のことを思い出します。

かつて城下町として栄えた上越市高田が生んだ童話作家と言えば、小川未明。そしてもう一人、杉みき子さんがいます。杉みき子さんは、最も多くの作品が教科書に採用された作家と言っても過言ではありません（その数は、これまでに20編ほど）。

でも、何と言っても印象深いのは、「わらぐつの中の神様」と「春先のひょう」でしょう。この二つの作品は、構成もストーリーもそっくりです。いわゆる「入れ子型構造」と言われるものです。つまり、物語の中で物語が語られます。劇中劇と言ってもいいでしょう。

そこには、あるトリックがあります。

いわゆる「叙述トリック」。読者の先入観を利用してミスリードしていき、結末で世界をがらりと反転させるどんでん返しを仕掛けるのです。その元祖はもちろん「記述者」が犯人である、アガサ・クリスティの有名な……おっとっと、この先はネタバレになってしまうのでやめておきましょう。杉みき子さんもあの作品から思いついたに違いありません。

さあ、おみつさんと大工さんは、その後どうなったでしょうか？　マサエは聞きます。

「じゃあ、おみつさん、しあわせに暮らしたんだね？」

「ああ、とってもしあわせに暮らしてるよ」

「じゃあ、おみつさんって、まだ生きてるの？ どこに？」

おかあさんが言います。

「マサエ、おばあちゃんの名前、知ってるでしょ？」

「山田ミツ……あっ！ じゃあ、大工さんって、おじいちゃん？」

記述者ならぬ、語り手が犯人、ということですね。

教科書では、「不格好でも、心を込めて作ったものが素晴らしい」という趣旨で読ませようとしています。読者のみなさんもそのように教わったかもしれません。

でも、この話はどう読んでも、おばあちゃんの「のろけ話」ですよね。

さらに、大工さんは「わらぐつのよさを見抜いた人」というより、どう考えても、おみつさんに一目ぼれでしょう。わらぐつのよさ云々は口実で、今で言うと「推し」のＣＤを何枚もせっせと買い続ける状態でしょうか（笑）。

ちなみに……

あまり知られていませんが、杉みき子さんはミステリマニアで、ミステリの作品集（『マンドレークの声　杉みき子のミステリ世界』龜鳴屋　２０１６）も出版されています。特にクリスティがお好きなようで、その手法が作品に生かされていることがよくわかります。

今から30年以上前になりますが、上越教育大学で講演していただいたあと、大学の小さな喫茶店でお話しさせてもらったことがあります。今から思えばミステリ談義もできればよかったと残念です。考えてみれば、「しんしんと雪が降る夜」という状況もミステリでは古典的な設定ですね。杉さんの「雪の密室」をめぐる作品も読んでみたかったです。

ところで、近年、教科書にもジェンダーの観点からの問題が指摘されています。この作品も例外ではありません。雪げたを自分で買うのではなく、結局大工さんに買ってもらう点や、そもそも男に見初められて結婚し、幸せに暮らすことを「いい話」としている点など、「隠れたカリキュラム」としてステレオタイプの女性像をすり込んでいるという意見があるのです。40年以上掲載され続けたこの作品がついに教科書から外れてしまったことの背景には、このような時代の変化があるのかもしれません。

たしかに授業の中で、古い男女像を無意識のうちに子どもたちに読ませようとしていることは否めません。私の学生時代に「シンデレラコンプレックス」という言葉が流行りました。「いつか王子様が」というディズニーの主題歌がありますが、原題は「いつか私の王子様が来てくれる」です。そんな女性の潜在的な願望を問題視した論ですが、そのような心理の形成に、国語教科書も一役買っていたということでしょう。

教科書の掲載作品はますます選びにくくなっています。書き下ろしを中心にする出版社が今後増えてくることが予想されます。時代の流れと思う反面、多くの名作たちが教科書から外れていくことは正直なところ残念でなりません。この作品も、昔の日本の素朴な「ちょっといい話」として読み継がれてほしいと思います。テレビがコンプライアンスでがんじがらめになって衰退の一途をたどっているのと同じ道を、国語教科書がたどらないよう祈ります。

わらぐつの　中に住むのは
神様じゃ　なくてあなたの　やさしい心

初恋の相手は先生だった？

一房の葡萄

有島《ありしまたけお》武郎

秋になるといつでも葡萄の房はむらさきに色づいて美しく粉をふきますけれども、それを受けた大理石のような白い美しい手はどこにも見つかりません。

（『一房の葡萄』角川文庫）

❶有島武郎：1878（明治11）～1923（大正12）年
❷『一房の葡萄』角川文庫 1988　など
❸東書中1／昭32～41　三省堂中1（中3）／昭37・53（昭31）　など

こんなお話

主人公は、言いたいことも言い出せない気弱な少年。明治初め、横浜のミッションスクールに通う「僕」は、海と船を描くための、藍と洋紅の西洋絵具が欲しくてたまりません。とうとう同じクラスのジョンの絵具を盗んでしまいます。

盗みがばれた僕は、大好きな女性の先生の前に突き出されます。先生は泣き続ける僕を叱ることなく長椅子に座らせ、蔓からもぎ取った葡萄を膝に置きました。翌朝、先生を悲しませたくないという一心で、僕は学校に行きます。すると、ジムが飛んできて、手を握って先生の元に連れて行きました。二人が仲直りの握手をすると、先生は葡萄を一房もぎ取って真ん中からぷつりと二つに切り、ジムと僕とに差し出すのでした。

もう二度と会えないと知りながら、僕は今でもあの先生がいたらなあと思います。

これも私の大好きな作品です。我が家のベランダに葡萄の木があり、毎年実をつけてくれるのですが、紫色の実を見るたびに思い出します。センチメンタルな秋の一日の回想が描かれた、有島武郎の名作です。この作品は「回想」というのがポイントです。

時々日本人と誤解している挿絵を見かけますが、この先生は西欧の白人女性です。教師もクラスメイトも西洋人ばかり。この先生はおそらく宣教師として、また違う国に行ってしまったのでしょう。

教科書では、先生の「愛」がテーマとして取り上げられます。しかし実は、もう一つのテーマが隠れています。それは「少年時代の甘美な思い出の回想」です。

この物語は、若く美しい、真っ白な手を持つ女性の先生でないと成り立ちません。私のような毛深いおじさん先生では成立しないのです。つまり、単なる「教師の愛」を描いた作品ではないということです。

少年は、この美しい先生から「あなたは自分のしたことをいやなことだったと思っていますか」と静かに尋ねられて、涙を流しながら「もう先生に抱かれたまま死んでしまいたいような心持ち」になります。

これは有島自身の実体験のようです。「泣きやむように好きな若い女教師から葡萄畑の一房をもぎって与えられたエクスタシー」と彼は自筆の年譜に書いています。

幼少期に誰しもが抱く先生への憧れ。しかし、単なる憧れだけではないでしょう。罪を犯し、それを美しい先生に許してもらう。罪がゆるされることへの憧れ、と言ってもいいかもしれません。子ども時代に特有の体験が、甘く美しい回想となって語られるのです。

中学校の定番教材「少年の日の思い出」とは対照的です。エーミールの持っている貴重なクジャクヤママユを盗んで壊してしまった「私」は、エーミールに告白し、謝ります。しかし、エーミールからはあの有名なセリフ、「そうか、そうか、つまりきみはそんなやつなんだな」と冷たく拒絶されてしまいます。

子ども時代、正直に罪を告白した結果、許されるか、許されないか。それは大人になってからの人生をも左右する出来事なのでしょう。

さて以前、宮崎駿監督の映画制作のドキュメントを見ていた時、一つ「発見」がありました。それは、宮崎監督が「パステル」で原画を描く様子です。恥ずかしながら、パステルというものを初めて見ました。そして、「一房の葡萄」の一節を思い出したのです。

「ジムというその子の持っている絵具は舶来の上等のもので、軽い木の箱の中に、十二いろ種の絵具が小さな墨のように四角な形にかためられて、二列にならんでいました。」

少年が盗んでしまう「四角な形にかためられて」いる西洋絵具って、チョーク？クレヨン？　何度も読んでいながら、はっきりとはイメージできませんでした。パステルは、まさに「四角な形にかためられて」いるではありませんか。長年の疑問が解けた瞬間でした。

パステルは、明治時代に西洋から伝わってきた画材です。当時は手に入りにくく、高価なものだったはず（初の国産品は大正8年に発売されました）。いくら有島が横浜山手のお坊ちゃんだったとしても、日本人の子どもには高嶺の花だったことでしょう。それに、パステルには憧れを誘う、ハイカラで高貴なものの雰囲気があります。思わず盗んでしまう少年の気持ちが、あらためてわかったような気がしました。

クレヨンの可能性もありますが、パステルの方が、秋の澄んだ空気を感じさせる「一房の葡萄」にふさわしい気がします。「藍」と「洋紅」――混ぜると葡萄色になるパステル。葡萄の房とともに、このお話の象徴的なモチーフになっています。

ちなみに……

有島武郎は、4才の頃に横浜に引っ越しています。そして6才の頃、まだブリテン女学校と呼ばれていた横浜山手のミッションスクールに入学したようです。横浜英和女学校に改称されたのは明治19年のこと。有島は我が国のミッションスクールのまさに創設期に子ども時代を過ごしたことになります。

有島は実際に絵を描くのが好きだったようで、唯一の童話集『一房の葡萄』の装画と挿絵も自身が担当しています。また、弟の有島生馬は近代美術史に名を残した画家です。

私は、北海道のニセコ町にある有島武郎記念館と軽井沢の有島の別荘に行ったことがあります。ニセコ町の、かつて有島農場が広がっていた場所に、有島武郎記念館はあります。「一房の葡萄」発表の二年後に、有島は所有していた広大な農場を小作人たちに無償で開放しました。今でも有島という地名を残して、羊蹄山をバックに雄大な光景が広がっています。ただし、私がはるばる行った日は休館中の札がかかっており、しばらく呆然と立ち尽くしていたことを覚えています（笑）。

軽井沢には有島の別荘「浄月庵」が移築され、公開されています。有島は農場解放の翌年、この別荘で女性記者と心中しました。そのため、戦後しばらくまで有島の作品は教科書には載らなくなっていたのです。別荘にあるカフェの名前は「一房の葡萄」です。

一房の　葡萄を取りし　白き手は
帰り来ぬ日の　秋の思い出

人生を照らす光の戯れ

バッタと鈴虫

川端康成

見給え！　女の子の胸を、これは虫をやった男の子も虫をもらった女の子も二人を眺めている子供たちも気がつかないことである。けれども、女の子の胸の上に映っている緑色の微《かす》かな光は「不二夫」とはっきり読めるではないか。（中略）この緑と紅の光の戯《たわむ》れを――戯れであろうか――不二夫もキヨ子も知らない。

（『掌の小説』新潮文庫）

❶川端康成：1899（明治32）～1972（昭和47）年
❷『掌の小説』新潮文庫 2022
❸学図「基礎国語Ⅰ」／平6～19　大修館「国語総合」／平19　など

こんなお話

ある夕暮れ、「私」は子どもたちが提灯を手に虫採りをしているところを見かけます。手作りの提灯は色とりどりで、それぞれに名前が刻まれています。

ある少年が、「バッタ欲しい者いないか」と呼びかけます。「ちょうだいな」と答えた少女に手渡すと、それはバッタではなく鈴虫でした。少女は眼を輝かせ、少年は驚いている少女の横顔を眺めました。はじめからこの子にあげるつもりだったのです。

その時、二人は気づいていませんが、提灯に照らされた少女の胸には「不二夫」、少年の腰のあたりには「キヨ子」と浮かび上がっていました。

鈴虫はそうそう採れるものではありません。いつか不二夫少年もバッタのような女を捕えて鈴虫だと思い込むことになるでしょう。そして、心が曇り傷ついたために真の鈴虫までがバッタに見え、バッタが世に溢れているように思える日がやがて来るならば、今宵の美しい灯りが少女の胸に描いた光の戯れを彼自身が思い出せないことを、「私」は残念に思うでしょう。

私は何と言っても、季節は秋が好きです。暑さに弱いので。そして、秋が近づいてくると思い出すのは、この「バッタと鈴虫」です。

有名な『掌の小説』の中の、ほんの数ページの作品ですが、とても心に残る名作だと思います。どうも私は、日常にふと忍び込んだ幻想と叙情、というものが好きみたいです。

それにしてもこの話はいろいろと考えさせられます。まず、この少年のプレゼント。ちょい悪(?)少年で、幼くして女心のつかみ方がよくわかっているような気がします。そして、少女にプレゼントをする男心もよく描かれています。要するに、驚いて喜ぶ顔が見たいのでしょう。喜ばせるためには、まず鈴虫だと気づかれないように渡さなければいけないということです。末恐ろしや、不二夫少年！

また、不二夫の名前が少女の胸に、少女の名前が不二夫の腰に映るのは、性的な暗示のようです。少女の灯りが赤い色であることから、これは二人の「赤い糸」を表しているという論がありますが、どうでしょうか？深読みのような気もしますね。

さて、この作品の結末についてネットを検索してみたら、「よくわからないから解説して」という高校生の質問がたくさんありました。たしかに、わかりにくい結末です。

結末の一文は次の通りです。

「そうして最後に、君の心が曇り傷ついたために真の鈴虫までがバッタに見え、バッタのみが世に充ち満ちているように思われる日が来るならば、その時こそは、今宵君の美しい提燈の緑の灯が少女の胸に描いた光の戯れを、君自身思い出すすべを持っていないことを私は残念に思うであろう。」

これは、大人になって人生に疲れ傷つき、世の中が輝いて見えない日々が訪れた時、それを癒やしてくれるものはあの日の光の戯れのような「美」だということではないでしょうか。確かに芸術にはそのような力があります。

あるいは、幼い頃のあの心を思い出せればなあ、ということかもしれません。もう一度、純粋な子どもの目で世界を見ることができれば、ということでしょうか。そう読むと、同じく教科書作品である芥川龍之介の「トロッコ」の結末にも通じるような気がします。

ともあれ、それを不二夫少年は思い出すことはできないだろうというのが、いかにも川端らしい皮肉（アイロニー）に満ちた結末になっています。不二夫少年の将来を暗示しているのかもしれませんね。

実は、この話を書いた時、川端は手ひどい失恋をしています。婚約者に裏切られてしまったのです。それが、この幼い二人の心の通い合いを、美しく描かせたのでしょう。たとえ大人びたテクニックがあったとしても、やはり純真な心の交流には違いありません。

最後の、女をバッタと鈴虫に見立てる、女性にとっては失礼きわまりない文章も、婚約者に裏切られた川端のやり場のない心の表れと思って、大目に見てあげてください。

ちなみに……

文学作品は、作家の実生活と切り離して読むべきでしょう。少なくともそれが原則だと思います。しかし、例えば宮沢賢治の「やまなし」は、賢治がベジタリアンになろうと必死で頑張っていたことや、仏教の熱心な信者だったことを知らなければ、さっぱりわけがわからないでしょう。

そしてこの「バッタと鈴虫」（大正13年）も、川端康成が生涯引きずることになる失恋事件の後に書かれたことを知っていれば、腑に落ちることが多々あると思います。「伊藤初代の『非常』事件」として、近代文学史上で最も有名な失恋と言っていいかもしれません。

22才の川端は、まだ15才だったカフェの女給の伊藤初代と婚約しますが、わずか一か月後に「私には或る非常がある」という不可解な手紙で突然別れを告げられます（大正10年）。「非常」とは何かは謎ですが、近年、研究が進んで解明されつつあるようです（初代さんの面影は「伊豆の踊り子」にも投影されています）。

「君自身思い出すすべを持っていないことを私は残念に思うであろう」という一文で締められた、この美しい「光の戯れ」を、少年少女はお互いに気がついていません。語り手である「私」にだけ見えているのです。

初恋にのみ灯る「美しい光」なのかもしれません。そしてそれは恋の当事者には見えず、第三者からだけ見えるものなのでしょう。そしてまた、その繊細な光の「美」は、恋に深く傷ついた人の心を癒やすものなのかもしれません。

あの人の　目には見えない　初恋の
色はかすかな　光の戯れ

初恋は林檎の香り

まだあげ初めし前髪の
林檎のもとに見えしとき
前にさしたる花櫛の
花ある君と思ひけり
やさしく白き手をのべて
林檎をわれにあたへしは
薄紅の秋の実に
人こひ初めしはじめなり
この道は誰がつくったのかしら？
ぼくたちが何度も通ったからできた道なのに…
林檎畑の樹の下に
おのづからなる細道は
誰が踏みそめしかたみぞと
問ひたまふこそこひしけれ
「初恋」島崎藤村（教出 中3）
そんな君が好き

❶ 島崎藤村：1872（明治5）～ 1943（昭和18）年

❷『初恋 島崎藤村詩集』集英社文庫 1991

❸ 教出中3／昭53～平2・平18～令3　など

第2章

「あなたの指をお染めなさい」

～扉の向こうは不思議なときめき～

心の窓に映るもの

きつねの窓

安房直子

「そしたらね、やっぱりこんな秋の日に、風がザザーッてふいて、ききょうの花が声をそろえて言ったんです。あなたの指をお染めなさい。それで窓を作りなさいって。ぼくは、ききょうの花をどっさりつんで、その花のしるで、ぼくの指を染めたんです。そうしたら、ほうら、ねっ。」

きつねは、両手をのばして、また、窓を作ってみせました。

「ぼくはもう、さびしくなくなりました。この窓から、いつでも、母さんの姿を見ることができるんだから。」

ぼくは、すっかり感激して、何度もうなずきました。実は、ぼくも独りぼっちだったのです。

（教育出版　小6）

❶安房直子：1943（昭和18）～1993（平成5）年
❷『きつねの窓』ポプラポケット文庫 2015　など
❸教出小6／昭52～令2　学図小6／平23～令2

こんなお話

鉄砲打ちの「ぼく」は、ある日、山の中で道に迷います。ふと気がつくと、一面真っ青な、ききょう畑の中。そこに、ぽつんと一軒の店。

のれんには、「染め物ききょうや」とあります。店員にはしっぽが見えていて、きつねが化けているとバレバレです。青く染めた指を合わせて、三角の窓を作って見せると、そこには母ぎつねの姿が映っていました。「ぼくの亡くなったかあさん。人間に、鉄砲でうたれたの」化けていることも忘れて、こう打ち明けます。

ぼくは、持っていた鉄砲と引き替えに、指を染めてもらいます。窓を作って見てみると、そこには女の子の姿。もう二度と会えない、思い出の人です。「この指は大切にしよう」そう思ったはずなのに、家に帰ると習慣で手を洗ってしまいました。

もう一度染めてもらおうと思いますが、もう二度と、あのききょう畑にも、子ぎつねにも会うことはできなかったのでした。

どのお話を覚えているかで、小学生の頃に使っていた教科書がわかります。宮沢賢治で言うと、「やまなし」であれば光村図書、「注文の多い料理店」であれば東京書籍、「雪わたり」であれば教育出版です。長い期間にわたって採用されている、いわば看板教材というわけです。そして、この「きつねの窓」もまた、教育出版の看板教材と言えるでしょう。

秋にふさわしい切ない物語です。安房直子さんは早世されましたが、繊細ではかない作品が多く、ほかにも教科書に「秋の風鈴」「鳥」「はるかぜのたいこ」など15編ほどが採用されています。

「ごんぎつね」もそうですが、こんな悲しい話を小学生に読ませていいのかと思うほどです。ただ、この話の感想ほど、大人と子どもで異なることもめずらしいかもしれません。

子どもはたいてい、「指を洗ってしまうなんてばかだ」「ぼくだったら、絶対洗わない」と言います。さらに深く読める子どもは、「過去ばかり振り返ってはいけない」という教訓を読み取ります。子どもはたいていプラス思考の教訓として読みたがります。その方が

納得しやすいのでしょう。でも、大人が読んだら、この話は悲しい「喪失」の物語です。窓に映るものは、死者。あるいは、もうすでに失われてしまったもの。そして「ぼく」は、それを映してくれる窓さえ、失ってしまうのですから。

こんな切ない情緒を小学校で取り上げるのは日本ぐらいでしょう。同じ「ファンタジー」というジャンルでも、本場の英米と日本とではずいぶん違います。本来、ファンタジーとは別世界に行って波瀾万丈の体験をするというものですが、日本では繊細でしみじみとした情緒漂う物語となっています。

やはりこの切なさがわかるのは、失ってしまった大切なものがあり、現実にはそれを「きつねの窓」で見ることもできないことを知っている、大人だけではないでしょうか。

あなたなら何を見たいですか？

ちなみに……

実は私には、「きつねの窓」のような懐かしい過去への通路が一つあります。

それは映画007シリーズの『007は二度死ぬ』（1967）です。この映画は全編日本ロケで、ロケ地の一つが姫路城です。ロケの日付は1966年8月20、21日。私は当時8才、姫路城のすぐ側で育ちました。おそらくその日は、今は亡き母、中学生の姉と一緒に家にいたことでしょう。質素でしたが一番幸福な時代だったかもしれません。そんな様子が、もう少しカメラを振ってくれたら映っているかもしれない……映画を見るたびにそう思ってしまいます。今の若者と違い、幼い頃の動画が残っている世代ではない私にとって、それが唯一の「きつねの窓」なのです。

ところで、小学生の私が一番心に残った教科書作品は「めもあある美術館」（大井三重子・東京書籍小6／昭43）です。この作品は多くの小学生の心を捉えたらしく、ネット上にはたくさんの記事が見られます。「きつねの窓」と同じく、自分の過去の、ある場面を見ることができる不思議な美術館の物語です。

母に叱られて家を飛び出した「ぼく」は、古道具屋の店先で出会った男について行き、「めもあある美術館」と呼ばれる建物を訪れます。自分の名前が掲げられた部屋の中には、飼い犬の絵、隣家のスエちゃんの絵、祖母の絵、針箱を蹴飛ばしている「ぼく」の絵……額縁はこの先にも無数にかかっていますが、中はまっ白なのでした。男は、「君はね、これからも絵をかき続けていくんだよ。このたくさんの額の中に」と言います。

作者の大井三重子さんは、「仁木悦子」というペンネームの方が知られています。特にミステリファンには、『猫は知っていた』の作者としておなじみでしょう。「めもあある美術館」の作者が仁木悦子だと知った時には大いに驚くとともに、さすが上質な物語の作り手だと感心したものでした。

さて、「きつねの窓」に戻ります。この物語は、きつねに化かされるという言い伝えや、「白ぎつね＝神の使い」といった伝承を踏まえています。柳田国男の『こども風土記』の中の子どもの遊び、さらにそこに引用されている『嬉遊笑覧』の「狐の窓」から発想されているようです。また、「遠野物語」の中のマヨヒガ（道に迷っている時に不思議な家が突然現れる）にも影響を受けているようです。同じような構造を持つものに「うぐいすの浄土」や「三枚のお札」などの昔話があります。「注文の多い料理店」もそうですね。

さらに、「きつねの窓」という魔法は子ぎつねの策略でもあります。「きつねの窓」と交換に、「ぼく」の鉄砲を取り上げてしまうのですから。このような「交換」によって「魔法の道具」を手に入れる昔話も、「聞き耳頭巾」「八つ化け頭巾」や「塩吹きうす」など、数多くあります。「きつねの窓」と読み比べてみるのも面白そうですね。

その窓は　心の中にも　あるのかな
もう戻れない　過ぎた日の秋

蝶なの？ それとも……

白いぼうし

あまんきみこ

「これは、レモンのにおいですか。」

ほりばたで乗せたお客のしんしが話しかけました。

「いいえ、夏みかんですよ。」

信号が青なので、ブレーキをかけてから、運転手の松井さんは、にこにこして答えました。


（光村図書 小4）

❶ あまんきみこ：1931（昭和6）年～
❷『車のいろは空のいろ　白いぼうし』ポプラ社 2000　など
❸ 光村小4（小5）／昭52～令2（昭46・49）　学図小4／昭46～令2
教出小4／平27～令2　三省堂小4／平 23・27　など

こんなお話

「これは、レモンのにおいですか」というセリフから始まる、さわやかな初夏の物語。

運転手の松井さんは、田舎から送ってもらった夏みかんを載せてタクシーを走らせています。ふと見ると、道ばたに白い帽子。車を止めて帽子を拾い上げてみると、蝶が飛び立って行きました。男の子がつかまえて入れていたのを逃がしてしまったのです。松井さんは、かわりに夏みかんを入れておきます。

車に戻ると、おかっぱの女の子がちょこんと座っていて、「道に迷ったの……」と疲れたような声で言います。その時、あの男の子が戻ってきました。「早く、早く行ってちょうだい」と女の子が急かします。

男の子の驚く顔を思い浮かべて笑みがこぼれる松井さん。ふと見ると、後ろの席には誰もいません。車を止めて、窓の外を見てみると、そこは団地の前の小さな野原。白い蝶が、たくさん飛んでいます。松井さんには声が聞こえてきました。

よかったね　よかったよ　よかったね　よかったよ

車の中には、まだかすかに、夏みかんのにおいが残っています。

タクシーの運転手 松井さんを主人公とするシリーズ『車のいろは空のいろ』の中の一編です。複数の教科書で長年掲載されているので、おぼえている方も多いでしょう。いわば国語の定番教材となっています。

さて、この女の子の正体はいったい何だったのでしょうか？ 蝶？ それとも？

これは誰もが抱く疑問でしょう。このような問いに答えるために、ぼくがいつも学生に言っていることは、「物語の世界の中と外とを区別して考えること」です。

乗り込んだ女の子は、いつのまにか消えています。野原の蝶を見ているうちに、「よかったね よかったよ」という声が聞こえてきます。素直に読めば、女の子＝蝶ですが……、決め手はありません。

女の子がいつ消えたのか、はっきり書かれていませんし、松井さんに聞こえた小さな声が、本当に蝶の会話なのかわかりません。そのため、「松井さんの幻覚」だとする極端な先生もいます。つまり、物語の世界の中では、女の子が蝶かどうか、はっきりわからないのです。

でも、それで終わらせてはいけません。物語の外から、つまり語り手（ひいては作者）の立場から考えてみましょう。

この物語は明らかに、女の子が蝶だった、と思わせるように語られています。でも、断定はしていない。限りなく女の子＝蝶だと思わせること、しかし、あいまいなままにしておく。これが語り手の意図であり、策略です。

したがって、この物語を「松井さんの幻覚」と読むのは論外ですが、決め手がない、で終わらせることも不十分なのです。語り手は、女の子を蝶だと思わせるように語っていますが、断定はせず、わざとあいまいにしています。そのような語り手の意図と工夫を読むことが大切なのです。

ちなみに……

大学時代、『車のいろは空のいろ』を、あるレコードから知りました。谷山浩子さんの『猫の森には帰れない』（１９７７）、ＣＤとして再販もされています。

このアルバムは名盤です。ＬＰだと、Ｂ面すべてが『車のいろは空のいろ』の連作で、「すずかけ通り三丁目」「おさかなはあみの中」「山猫おことわり」「くま紳士の身の上話」「本日は雪天なり」が取り上げられています。ドラマ仕立ての楽曲です。

はじめて聞いた時は原作を知らなかったので、何が何やらわかりませんでした。ちなみに、香川大学の同僚の先生から、当時のプログレシブ・ロック（進歩的・革新的なロック。クラシックやジャズと融合させた芸術的なアルバムの制作を目指した）の影響を受けているのではないかと聞き、なるほどと思いました。例えばキャメルというイギリスのバンドは、ポール・キャリコの小説「ホワイト・グース」をもとに、同名のアルバムを1975年に発表していますが、全編が組曲になっています。

私の定年前最後のゼミ生が、卒論でこのアルバムをもとにした授業を構想してくれました。アルバムにはなぜか「白いぼうし」が含まれていないので、「くま紳士の身の上話」のメロディーをもとに「白いぼうし」の歌を作る、という授業を考えてくれたのでした。

ところで、タクシーに乗ってきたはずの女性客がいつの間にか消えている……これは、都市伝説の代表的な怪談ですね。この「白いぼうし」も現代の怪談としての読み方もあるようです。

では、あまんさんは、あの有名な都市伝説からこのお話を着想したのでしょうか。

「白いぼうし」が雑誌『びわの実学校』に発表されたのは、１９６７年のことです。一方、タクシーの怪談のルーツとされているのは、１９６９年の京都での出来事です。京大病院前で雨に打たれた女性を乗せたタクシーが深泥池に着くと、その女性の姿は消えていたと言うのです。新聞記事にもなったこの出来事がルーツだとすると、あまんさんの方が早いことになります。どうやら、あまんさんのオリジナルな発想と言えそうです。

もっとも、乗り物に乗った人が消えるという話は、昔から世界各地で伝わっています。例えば江戸時代の円朝作の怪談「真景累ヶ淵」では、かごに乗せたはずの愛人豊志賀《とよしが》の姿が、引き戸を開けてみると消えています。他にも人力車や馬車など、乗り物にはこの種の怪異がつきものです。閉ざされた小さな空間に異界から何かが侵入してくる、ということが怪談の原点のようですね。映画「エイリアン」などはその最たるものでしょうか。

まぼろしを　はこぶ車は　空の色
夏の香りの　果実とともに

幻燈会の夜に

雪わたり

宮沢賢治

雪がすっかりこおって大理石よりもかたくなり、空も冷たいなめらかな青い石の板でできているらしいのです。

「かた雪かんこ、しみ雪しんこ。」

お日様が、真っ白に燃えてゆりのにおいをまき散らし、また雪をぎらぎら照らしました。

木なんか、みんなザラメをかけたようにしもでぴかぴかしています。

「かた雪かんこ、しみ雪しんこ。」

四郎とかん子とは、小さな雪ぐつをはいてキックキックキック、野原に出ました。

こんなおもしろい日が、またとあるでしょうか。


（教育出版　小5）

❶ 宮沢賢治：1896（明治29）～1933（昭和8）年
❷『注文の多い料理店』新潮文庫 1990　など
❸ 教出小5／昭52～令2

こんなお話

雪が凍って大理石よりも堅くなった日、四郎とかん子は野原で白いきつねの子に出会い、幻燈会の切符をもらいます。

約束の夜、チカチカ青く光る雪の中を出かけていくと、林の空き地にたくさんの子ぎつねが集まっていました。

きつねは「人をだます」という無実の罪をきせられていた、人をだますなんて嘘だと、白い子ぎつねの紺三郎は言います。その紺三郎を信じて、きつねのくれたきびだんごを四郎とかん子は思い切ってみんな食べます。

おどり上がって喜ぶきつねたち。それを見て涙を流す四郎とかん子。きつねたちもキラキラ涙をこぼします。

このお話を理解するためには、かつてきつねがどんな風に思われていたかを知っておく必要があるでしょう。第1章で紹介した井上靖の名作「しろばんば」の中で、主人公の洪作少年は何度か迷子になります。その時、大人たちは「きつねに化かされた」「きつねが憑いた」と信じ込み、ほおをはたいたり、背中を不意にどやしたりして、洪作からきつねを追い払おうとするのです。

きつねが化かす、きつねが憑く、お稲荷さんのたたりがある――私の母親世代（昭和初めの生まれ）にはまだ、半信半疑ながらも信じられていたように思います。

昔の里山ではごく身近な存在だったきつね。今のような可愛いキャラクターではなく、害獣でありながらも、どこか怖れを抱く存在だったようです。

そのような相容れない関係の人間ときつねでも、無垢な子どもであれば、きつねと信じ合うことができる（11歳以下でないと幻燈会には参加できません）。動物と人間が絆を結ぶことのできる世界。「鹿踊りのはじまり」や「なめとこ山の熊」などの傑作で、宮沢賢治が描いた世界と同じ風景が、本作にも描かれています。

このお話には、全編にわたって歌が出てきます。「鹿踊りのはじまり」と同じように、歌と踊りによって動物と人間が渾然一体となっていくのです。これはミュージカルというよりも、当時の「歌劇」と捉えるとしっくりくるのではないでしょうか。小林一三によって宝塚歌劇団が創設されたのが大正3年。「雪わたり」は大正10年の発表。とにかく新しいものと音楽が大好きな賢治。いち早く歌劇風の童話を書きたかったのかもしれません。

ちなみに……

みなさんは幻燈を見たことがあるでしょうか（教科書では「幻灯」ですが、原文の「幻燈」の方が、雰囲気が出るような気がします）。

「雪わたり」では、きつねの学校の幻燈会で三種の幻燈が映し出されます。また、「やまなし」は「二枚の青い幻燈」のお話です。

この「幻燈」、今の若い方々にはよくわからないみたいですね。

それも当然、私（昭和32年生まれ）が「幻燈」を知っている最後の世代なのかもしれません。パワーポイントのスライドのようなもの、という説明がイメージしやすいでしょう。

しかし、それでは、あの幻想的で妖しげな雰囲気は伝わりません。私が子どもの頃、幻燈は学習雑誌の付録にもなっていました。夜、しかも押し入れの中で、壁に映した幻燈の灯り。ぼんやりとしか映らない、その影像がとてもはかなげでした。

「幻燈」はマジック・ランタンの訳語です。ガラスに描かれた絵や写真を、ろうそくやランプの明かりでスクリーンに映し出します。1870年代に日本に本格的に持ち込まれましたが、主に教育用の機器として用いられました。視聴覚教材やICTの走りと言えるかもしれません。賢治の時代、幻燈は、特に地方ではまだまだ最新の教具だったことでしょう。当時の教育雑誌を見ると、幻燈の広告がよく出ています。

学校の行事や社会教育の場で教育や啓蒙のために、また子どもたちや市民を惹きつけるための目玉イベントとして、幻燈会は催されたのです。この事情を理解していないと、「雪わたり」の幻燈会や「やまなし」の舞台設定がよくわからないと思います。

「雪わたり」の幻燈は、「お酒を飲むべからず」「わなに注意せよ」「火をけいべつすべからず」の三種類です。この幻燈の意味がよくわからないという質問を見かけますが、きつね小学校の子ぎつねたちを啓蒙するためのものなのです（幻燈会は「禁酒運動」の手段としても盛んに用いられたようです）。

「雪わたり」を読むと、当時の幻燈会の様子が想像できます。幻燈会には、影像を説明する弁士が必要でした。幻燈には、スライドとともに台本がついている場合も多かったようです。以前、『なんでも鑑定団』というテレビ番組に、当時の幻燈と、その台本がセットで登場し、なるほどこれが実物か、と思ったことがあります。

「やまなし」は、このような幻燈の台本という設定で書かれたのではないか、と私は思っています。二枚の幻燈を見せながら、弁士が子どもたちに「やまなし」についてのお話を語って聞かせる、という設定。その台本が、作品「やまなし」というわけです。

また、あるテレビ番組で、賢治の『銀河鉄道の夜』に出てくる「烏瓜《からすうり》の灯り」を再現するという、興味深い場面を見たことがあります。やはり、はかない灯りで、とても幻想的でした。幻燈と通じるものがあります。『銀河鉄道の夜』でも、列車の窓から見える光景を「野原はまるで幻燈のようでした」と描写しています。賢治が惹かれていたものがわかるような気がします。賢治は、幻燈という最新のメディアに強い関心があったのでしょう。

幻燈会　招待状は　子どもだけ
雪の野原に　結べよ絆

文豪の熱烈なラブレター

杜子春

芥川龍之介

「もしお前が黙っていたら、おれは即座にお前の命を絶ってしまおうと思っていたのだ。——お前はもう仙人になりたいという望《のぞみ》も持っていまい。大金持になることは、元より愛想がつきた筈《はず》だ。ではお前はこれから後、何になったら好《い》いと思うな」

「何になっても、人間らしい、正直な暮しをするつもりです」

杜子春の声には今までにない晴れ晴れした調子が罩《こも》っていました。

（『蜘蛛の糸・杜子春』新潮文庫）

❶芥川龍之介：1892（明治25）～1927（昭和2）年
❷『蜘蛛の糸・杜子春』新潮文庫 1968　など
❸光村中1／昭43～50　東書小6／昭61・平1　など

こんなお話

唐の都 洛陽にぼんやりたたずむ一人の若者。名は杜子春。財産を使い果たして、一文無しです。そこに、一人の老人が現れ、黄金の埋まっている場所を告げます。すると杜子春は、一夜にして大金持ちになりました。しかし、贅沢な暮らしは長くは続かず、ちやほやしてくれた友も去り、また元の一文無しに戻ります。そこに再びあの老人が現れ、同じように大金持ちになり、そしてまた一文無しに戻りました。

三度目に老人が現れた時、杜子春は、弟子になって仙術の修行をしたいと頼みます。老人は「たといどんなことが起ころうとも、決して声を出すのではないぞ」と言います。何が現れても黙っていた杜子春はやがて地獄の底に落ちていきます。あらゆる責め苦にも耐えているところに、痩せ馬に姿を変えた父母が引きずり出されてきたのです。鉄のむちで打ち砕かれる姿を前にして、固く目をつぶった杜子春の耳に、優しい母の声が聞こえてきました。杜子春はついに涙を流しながら「お母さん」と叫びます。

ふと気づくと、洛陽の都に戻っていました。これからは人間らしい正直な暮らしをすると誓う杜子春に、老人は一軒の家を与えるのでした。今頃は家のまわりに桃の花が一面に咲いているでしょう。

桃の花が咲き誇る家は「桃源郷」のイメージでしょう。

突然ですが、お盆の由来をご存じでしょうか？　正式には、盂蘭盆会《うらぼんえ》。サンスクリット語のウラバンナ。ウラバンナとは、「逆さ吊り」という意味だそうです。何が逆さ吊りかと言うと、なんと母親です。

お釈迦様の高弟の一人である目連は、ある日、神通力で地獄を覗きます。なんとそこでは、母親が逆さ吊りにされて苦しんでいるではありませんか。驚いた目連は、ブッダに教えを乞います。ブッダは「夏の修行が終わる7月15日に修行者たちを招き、ご飯や果物などの供物を捧げて供養しなさい」と告げました。その結果、母親は極楽に行くことができます。これが、お盆の起源だそうです。

この話を聞いて思い出すのは、芥川龍之介の「蜘蛛の糸」と「杜子春」。芥川の童話と仏教には、実は深いつながりがあります。

杜子春の母親が地獄でむち打たれる場面は、目蓮の母親の逆さ吊りとも重なります。目連と同じく、杜子春も耐えられずに「お母さん」と叫んでしまいました。

ところで、むち打たれていたのは、父と母のはず。お父さんはどうしたのでしょう？　すっかり無視されています。

芥川の小説に「少年」という作品があります。6つの小さな話を集めたものですが、その一つに「お母さん」という話があります。

子どもの頃、転んで泣いている時に無意識で「お母さん」と言ってしまい、悪友にからかわれます。また大人になってインフルエンザで入院している時も、やはり無意識のうちに「お母さん」と言っていたと、看護婦に指摘されるという話です。

芥川とお母さん。ここにも深いつながりがあるようです。小さい時に、実母を精神の病で亡くしていることも影響しているのでしょう。ただ、そのような特別な事情がなくとも、父親の影は薄いように感じます。一声叫ぶなら、やはり「お母さん」でしょう。今では、マザコンと不評かもしれませんが。

さて、お盆のエピソード。本当は、あらゆるものへの「執着」を捨てることが、仏教の悟りのはずです。「蜘蛛の糸」のお釈迦さまは、地獄に落ちていくカンダタには「無頓着」でぶらぶら歩くだけでした。

本当なら、目蓮も杜子春も、母親に対する「執着」を捨てなければならないはずなのです。それが、ある意味、悟りの冷たさであり、天人に戻った途端にお爺さんたちに対する愛情を忘れてしまうかぐや姫にも通じることなのでしょう。

しかし、芥川にはそれができませんでした。「人間らしい、正直な暮らし」とは、冷たい悟りを拒否した、それこそ「正直な」望みだったような気がします。

肉親への執着。そして、好きな人への執着。たしかに、これが、様々な悩みや苦しみを生み出しています。お釈迦さまの言うとおりでしょう。しかし一方で、それを捨て去ると、もう「人間らしい」人間ではなくなるような気がします。ほどよい「執着」。これを求めて悩み苦しむのもまた人生の味わいなのでしょうか。

ちなみに……

杜子春の最後の一言、「何になっても、人間らしい、正直な暮しをするつもりです」。これとまったく同じことばが、芥川のラブレターの中にあります。婚約者の塚本文への手紙です。

このことを知ったのは、大学時代の恩師である平岡敏夫先生の授業でした。院生の川島絹代さんが発見したそうです（1979）。

その手紙とは、大正六年九月の書簡。その中に、次のような一文があります。

「大抵の事は文ちゃんのすなおさと正直さで立派に治りますそれは僕が保証します。世の中の事が万事利巧だけでうまく行くと思うとおおまちがいですよ、それより人間ですほんとうに人間らしい正直な人間ですそれが一番強いのです」

前後から判断すると、婚約者の文ちゃんはかなり心配していたようです。超インテリエリートの芥川と結婚することを（なにせ文ちゃんはまだ17才です）。

難しいことは何もない、あたりまえのことをあたりまえにしていればいい、と繰り返し伝え、「だから文ちゃんなら、大丈夫ですよ。安心なさい」と優しく諭しています。そして「金のある女と利巧な女」には、このことがわからない、だから幸福な生活ができない、あんな女にかぶれるな、とまで言っています。

すなおで、正直で、人間らしい女の人と結婚したい……このような男の（身勝手な？）願望は、大正時代から百年近くたっても変わっていないですね。この頃の芥川の熱烈なラブレターは読んでいてなかなか勉強になります。

「人間の値うちはつまらない事でいちばんよくわかります」

大きな事になると、誰でも考えて行うから、そう露骨に下等さがみえない、という意味です。そして、文ちゃんのささいな行動から、その正直さに感動しています。

「文ちゃん以外の人と幸福に暮らすことが出来ようなぞとは、元より夢にも思ってはいません」

「僕に力を与え僕の生活を愉快にする人があるとすれば、それはただ文ちゃんだけです」

「お互いに利巧ぶらずえらがらず静かに幸福に暮らしましょう」

……熱烈ですね。こんな手紙が公開されるとは、さすがの文豪も思わなかったことでしょう。

杜子春が、すっかりどこかに行ってしまいました。杜子春のあの言葉が、芥川の本音だった、ということだけで十分でしょう。

桃の花　咲き誇る家に　待つ人は
人間らしい　正直な人

第3章

「ごん、お前だったのか」

～愛おしい動物たちのお話～

届かなかった思いとは

ごんぎつね

新美南吉

その中山から少しはなれた山の中に、「ごんぎつね」というきつねがいました。ごんは、ひとりぼっちの小ぎつねで、しだのいっぱいしげった森の中に、あなをほって住んでいました。そして、夜でも昼でも、あたりの村へ出てきて、いたずらばかりしました。畑へ入っていもをほり散らしたり、菜種がらのほしてあるのへ火をつけたり、百姓家のうら手につるしてあるとんがらしをむしり取っていったり、いろんなことをしました。

（光村図書　小4）

❶新美南吉：1913（大正2）~ 1943（昭和18）年
❷『新美南吉童話集』岩波文庫 1996
❸東書小4／昭43~ 令2　光村小4／昭46~ 令2　など

こんなお話

ごんは、ふとしたいたずらで兵十のうなぎを盗みました。

ある日、ごんは、兵十のおっかあが死んだことを知ります。「じぶんがうなぎを盗んだから、死んだに違いない」そう思い込んだごんは、そのつぐないに、せっせと栗や松たけを兵十に届けます。

そうとは知らない兵十は、家に忍び込んできたごんを見つけ、鉄砲でうちました。そして、土間に栗が置いてあるのを目にしたのです。

「ごん、お前だったのか。いつもくりをくれたのは」

ごんは、ぐったりと目をつぶったまま、うなずきました。

本当に悲しいラストシーンです。「ごんぎつね」が国語の教科書に初めて載ったのは、昭和31年。昭和55年にはすべての国語教科書に掲載されるようになりました。まさに国民教材として読み続けられているのも、しみじみとした切ないお話が好きな日本人にぴったりということでしょう。

季節は秋。もずの声。すすきの穂に光る雨のしずく。萩の葉。いちじくの木。そして彼岸花。月夜に、松虫の鳴き声。ごんが兵十に届けるものは、栗に松たけです。

まさに古きよき日本の山里の秋が描かれています。それはこの切ない物語の舞台としてまことにふさわしいと言えるでしょう。

ごんは、「ひとりぼっちの小ぎつね」です。もしかしたら親ぎつねは人間に撃たれてしまったのかもしれません。「子ぎつね」ではなく「小ぎつね」なのですが、少なくとも成熟した大人のきつねではないでしょう。自分のせいで、「うなぎが食べたいと思いながら死んだんだろう」と思い込んでしまうごんは、無垢で純朴な子ぎつねなのです。だからこそ、撃たれてしまう姿がいっそう哀れで胸に迫るのですね。

「ごんぎつね」については、以前から、「つぐない」の物語なのか、「求愛」の物語なのか、という二つの読み方があります。

つまり、うなぎを盗んだつぐないに、栗やら松茸やらの秋の味覚をせっせと届けるごんの「罪の意識」を中心に読むのか、その奥にある、兵十に自分をわかってもらいたい、仲良くなりたい、という願望を「求愛」として捉えるのか。あなたはどちらでしょうか？

「求愛」説を唱えた岩沢文雄さんは、「作品「ごんぎつね」は、求愛のうただ。うたの美しさは、孤独な魂が愛を求めて奏でる、哀切のひびきの美しさだ」（『文学と教育その接点』鳩の森書房１９７８）と熱く主張しています。

その背景には、新美南吉の当時の恋愛体験があります。ごんぎつねが書かれたのは、南吉が弱冠十八才の時。その頃の悩みに悩んでいた恋愛が反映されていると考えられているのです。南吉は詳細な日記を残しています。そこには、Ｍ子さんへの熱烈な思いと、いろいろな事情からそれが決して結ばれることのない恋愛であることが綴られています。

物語のラストに注目してください。「ごん、お前だったのか。いつもくりをくれたのは」と兵十が声を掛けます。ごんは、最後に自分がプレゼントしていたことに気づいてもらうことができました。南吉の書いた草稿が残っていますが、そこでは「権狐は、ぐったりなったまま、うれしくなりました」と書かれています。つまり、自分の存在に気づいてもらって、うれしい気持ちで死んでいくのです。

「ひとりぼっち」だったごんの心の空白は、兵十の一言によって満たされます。この物語は、心を通わせる相手を求める話だと言えるでしょう。たしかにそれは「友」というより、「愛」を求める物語と言っていいかもしれません。自分の存在に気づいてもらいたい、そう思い続けながら、せっせと相手に愛を捧げる話なのです。

ようやくわかってもらえた時は、命が尽きる時だった。このアイロニー（皮肉）に満ちた結末には、やはり南吉の切実な願いが込められているようです。

ちなみに……

「ごんぎつね」は日本文化を学ぶ外国人のための教材としても用いられているようです。短い物語の中に昔の日本文化が満載だからでしょう。しかし、今では子どもたちはもちろん、教える側の私たちにもわからないことが多いようです。そのために、ずいぶんトンチンカンなことも増えています。

「こそこそした罪滅ぼしは身勝手で自己満足でしかない、撃たれて当たり前」という子どもの感想が話題になったことがあります。このような予想外の発言は教室にはつきものです。この子どもは、当時のきつねがどのような存在だったか知らないから、このような発言をしたのでしょう。第2章の「きつねの窓」や「雪わたり」でも述べたように、きつねは人をだますと信じられてきました。そのため、罠にかけられたり撃たれたり、人間に退治される存在でした。ごんは、隠れてこっそりと届けるしかなかったのですね。どうしても近づけない存在だからこそ、この物語が成立するのです。

また最近では、お葬式の場面で「大きななべの中では、何かぐずぐずにえていました」という記述について、何が煮えているかを子どもたちに話し合わせたところ、「お母さんが煮えている」と答えたということが話題になりました（石井光太『ルポ 誰が国語力を殺すのか』文藝春秋 2022）。子どもは、魔女や「かちかち山」などの昔話を連想したのでしょう。読解力不足の例としてあげられているのですが、問題は別の点にもありそうです。

なべを見たごんはすぐに「ああ、葬式だ」と気づきます。お通夜やお葬式の際に、「お煮しめ」という甘辛く煮付けた料理をふるまうことを、ごんは知っているのですね。でも、子どもたちはもちろん、今の若い先生方もおそらくご存じないでしょう。

そもそも何が煮えているかは子どもが話し合ってわかるものではありません。これは話し合いの課題にするものではなく、知識として先生が教えるべきことでしょう。

ごんよりと　栗に書けたら　よかったな
空に消えてく　届かぬ思い

究極の愛の形？

スーホの白い馬

大塚勇三

スーホがなでてやると、白馬は、体をすりよせました。そして、やさしくスーホに話しかけました。

「そんなにかなしまないでください。それより、わたしのほねやかわや、すじや毛をつかって、がっきを作ってください。そうすれば、わたしは、いつまでもあなたのそばにいられますから。」

スーホは、ゆめからさめると、すぐ、そのがっきを作りはじめました。

（光村図書　小2）

❶ 大塚勇三：1921（大正10）～2018（平成30）年

❷『スーホの白い馬』福音館書店 1967

❸ 光村小2／昭49～令2

こんなお話

モンゴルの楽器「馬頭琴」にまつわる、こんなお話があります。

昔、おばあさんと二人で暮らす貧しい羊飼いの少年スーホがいました。ある日、スーホは白い子馬を拾います。スーホは心を込めて世話をします。やがて、雪のように美しい馬に育ちました。

ある時、とのさまが競馬の大会を催します。白馬は見事に優勝しました。ところがとのさまは、スーホに白馬を差し出すように言います。スーホは断りますが、白馬は無理やり連れて行かれてしまいます。白馬は、家来たちを振り切り、弓矢で討たれ傷つきながらも、少年のもとに帰ってきました。しかし翌朝、息絶えます。嘆き悲しむ少年の夢枕に、白馬が現れます。

そのお告げの通り、少年は白馬の体をすべて使って、琴を作ります。それ以来、モンゴルの草原を、馬頭琴と、少年の美しい歌声が流れるようになったのでした。

馬頭琴は、棹の先端が馬の頭の形をした、胡弓や二胡のような楽器です。

この馬頭琴はいったいどんな音色なのだろう、と長い間気になっていました。今のように気軽にネットやYouTubeで調べられるようになる前の話です。椎名誠さんが「白い馬」（1995）というモンゴルを舞台にした映画を作りました。その中で、実際にモンゴルの老人が、草原で馬頭琴を弾きながら「スーホの白い馬」について語る場面が出てきます。そこで初めて聞くことができました（その後、実物の馬頭琴も手に取ることができました）。

やはり哀愁のある音色です。死んでもなお、姿を変えて、いつまでもそばにいてくれる……。これは、いわば究極の愛の形でしょうか。

スーホは草原に置き去りにされていた生まれたばかりの子馬を抱きかかえて連れて帰ります。子馬はすくすくと育って雪のように白く美しい白馬になりました。

「これからも、どんなときでも、ぼくはおまえといっしょだよ」というスーホの言葉を、白馬はうれしく思ったに違いありません。そして死んでもなおこの言葉を守ろうとしたのでしょう。

とのさまに奪い取られた白馬は、追っ手に弓矢で討たれながらも、走り続けてスーホの元に戻ってきます。そして息絶えてしまいます。

突然ですが、私が飼っていた白黒ネコのチーズさんは、神戸の六甲山の捨て猫でした。ある時、山のふもとまで連れて行かれてまた捨てられたのでしたが、再び山の上まで自力で戻ってきたそうです。時々ニュースにもなりますが、犬や猫のこうした行動はなんとも健気です。ましてや最後の力を振り絞って戻ってきてくれたのですから、「かなしさとくやしさ」で幾晩も眠れなかったというスーホの気持ちもよくわかります。

「そうすれば、わたしは、いつまでもあなたのそばにいられますから」

この白馬の言葉通り、スーホが馬頭琴を奏でると、すぐそばに白馬がいるような気持ちになります。これはある意味、永遠の愛を手に入れた少年と白馬の物語なのでしょう。

ちなみに……

「フランダースの犬」のお話を、現地ベルギーの人は誰も知らないと言います。そして、実はこの「スーホの白い馬」も、モンゴルの人は知らないようです。このお話はモンゴルの民話を、作者の大塚勇三さんが再話したものと思われてきました。ところが、最近の研究によると、どうやらモンゴルに伝わる馬頭琴の由来にまつわるお話が、中国で大幅に改作されて、それをさらに大塚勇三さんが再話したようです。つまり、教科書の「スーホの白い馬」は、モンゴルの民話とは言えないということです。

実は、同じように民話の出自を誤解したまま掲載した例が、教科書にはいくつか見られます。例えば、かつて「雪女」が日本昔話として掲載されていました。何度か映画化もされた有名なお話ですが、日本昔話というより、どうやらラフカディオ・ハーン（小泉八雲）の創作に近いと言った方がよさそうです。本来の昔話、つまり日本に昔から伝わっている「雪女」は、妖怪の要素が強いものや、風呂に入ったり囲炉裏にあたったりしたら溶けてしまったというようなものがほとんどです。

また以前、「海の水はなぜ塩辛いか」という昔話も載っていました。海中に沈んだ石臼が回り続けて塩を出し続けているというお話ですが、これはどうやら北欧から船乗りによって伝えられた民話のようです。

海外からやってきた話が、日本昔話として国語教科書に載っていたという点では、「大工と鬼六」もそうです。難所に橋が建てられなくて困っている大工に、鬼が言います。「おれが建ててやるから代わりに目玉をよこせ。いやなら、俺の名前を当ててみろ」。そして頑丈な橋が出来上がります。大工は弱りますが、ふと耳にした子どもの歌から、「鬼六」という名前を当てるのでした。これは北欧に伝わる教会の建設にまつわる説話が、大正時代に日本で翻案されたものだということがわかっています。

また逆のケースもあります。中国に伝わるという「斑竹姑娘」という話が、竹取物語に似ているため、竹取物語の原話ではないかと思われていた時期がありました。中学校の授業でも、「斑竹姑娘」を教材として取り上げたり、両者の比較が行われたりしました。しかし現在では、むしろ竹取物語をもとに中国で創作されたものとされています。

このように、昔からその国に伝わる民話なのかどうかということは、意外と判断が難しい問題のようです。

いつまでも　あなたのそばで　奏でたい
緑の大地に　白馬の歌を

無償の愛って何？

幸福の王子

ワイルド

「エジプトにはゆかないと思います。死の家にまいります。死は眠りの兄弟ではありませんか？」

そう言って、ツバメは王子のくちびるにキスをして、その足もとに落ちました。それがツバメの最後でした。

その瞬間に、像の中で、まるでなにかがひびわれたような奇妙な音がしました。じつは、なまりの心臓がまっぷたつにわれただけのことですが。たしかに、怖ろしいくらいにひどいひえこみでしたから。

（富山太佳夫訳『幸福な王子』青土社）

❶オスカー・ワイルド：1854～1900年

❷『幸福な王子―ワイルド童話全集』新潮文庫 1968　など

❸三省堂小5／昭37（「幸福な王子」として掲載）　教出小3／昭46　など

こんなお話

昔、まったく不幸を知らない、その名もサンスーシ（無憂宮）に住む王子さまがいました。おつきの人に「幸福の王子」と呼ばれていました。亡くなった後、高い円柱の上に銅像がたてられます。全身は金箔におおわれ、目はサファイア、剣にはルビーがついています。

しかし、高くから街の様子を眺めるようになって初めて、王子には様々な不幸が見えてきました。南に帰ろうとしていたツバメを引き留め、不幸な人たちにルビーを届けるよう頼みます。さらに、自分の目であるサファイアも与えます。

ツバメは、王子の目の代わりになり、貧しく不幸な人々を見つけて知らせます。

とうとう金箔もすべて失った王子。その足もとでツバメは死んでいきます。みすぼらしくなった像は引き倒され、炉で溶かされますが、なまりでできた心臓だけはなぜか溶けません。

神さまに遣わされた天使は、なまりの心臓とツバメの亡骸を天上に運ぶのでした。

「どの作家にも、この一作を書き終えたら死んでもいい、と思う作品があるはずである。もし私がオスカー・ワイルドなら『幸福の王子』はその作品だ」と作家の曽野綾子さんは述べています（『幸福の王子』バジリコ　２００６）。たしかに「幸福の王子」は、そう言わせるだけの魂のこもった傑作中の傑作だと思います。

ワイルドは、いわゆるデカダンス文学の代表者です。同性愛を理由に牢獄に入れられ、破滅的な死を遂げます。そのような人生を知った上で読むと、このような美しい童話を残したことに深い感慨を覚えずにはいられません。

「幸福の王子」には、様々な貧しい人たちが描かれています。王子は銅像となり、高い円柱の上に立つようになって初めて、そのような人たちの存在に気づきます。

「幸福の王子」が出版されたのは１８８８年。「銀の燭台」（第5章）の時代から50年ほど後のヨーロッパですが、貧しい人たちの悲惨さは変わっていないようです。「銀の燭台」のミリエル司教も、ジャン・バルジャンに銀の食器だけでなく、銀の燭台まで与えますが、幸福の王子も同じようにすべてを捧げてしまいます。

ここに描かれているのは、ミリエル司教と同じ、キリスト教的な博愛、自己犠牲、献身であることに間違いないでしょう。しかし、それだけではありません。

幸福の王子の頼みを断り切れず、宝石や金箔を運び続けるのはツバメです。このツバメは、茶目っ気があり、優しい男の子です。特に、熱にうなされている少年の額を冷たい翼で冷やそうとする場面には、愛らしい優しさがあふれています。ツバメはエジプトへと旅立つことなく、冬が来ても王子の使者として飛び続け、やがて最期の時を迎えます。目が見えず何も気づかない王子は、「わたしのくちびるにキスをしておくれ。わたしがおまえを愛した、そのしるしに」と言います。そして、キスをしたツバメは力尽きて死んでしまうのです。

王子を愛したツバメは、王子の願いを叶えるために自分の命を捨てました。ツバメのしたことも、王子と同じく自己犠牲です。でも、かけがえのないツバメが死んだとわかった瞬間、王子の心臓は真っ二つに割れてしまう。大切な存在を失った悲しみからでしょうか。またそれは、本当の愛、すなわち自らの命を捧げる愛を知った瞬間でもあります。単に博愛の美しさを称えるだけではない物語の深さが生まれている場面だと思います。

外国の童話は、主人公が死んでも悲劇ではないこ

とがよくあります。「マッチ売りの少女」や、「フランダースの犬」がそうです。主人公が天国に召されるのです。神さまが救ってくれるのですね。「幸福の王子」でも、ツバメと王子は、神様に遣わされた天使に選ばれて、天国でいつまでも幸せに暮らします。しかし、読者の心には単なるハッピーエンドだけではない、「無償の愛って何？」という複雑な思いが生まれることでしょう。

ちなみに……

「幸福の王子」は童話と言うよりも、美しい一編の詩です。ヴィクトリア朝独特の格調高い表現で、愛の寓話を詠っています。ぜひ原作を手に取っていただきたいと思います。美しい寓話を編み上げるワイルドの言葉の魔法を味わうことができることでしょう。「わたしの心はなまりでできているのに、それでも泣いてしまう」「どんなものよりもふしぎなのは、ひとの苦しみだよ」など、忘れがたい箴《しん》言もちりばめられています。

原作はあまり子ども向きとは言えません。ワイルド自身も、「子どもだけではなく、子どものような心を持った18歳から80歳の大人のため」の作品だと述べています。現在では、主に小学校2〜3年の道徳の教科書に掲載されていますが、子どものためにリライトされたものを読むだけではもったいなさすぎます。それだけ深く、様々に解釈できるお話であり、大人の心にこそ響く童話なのです。

このワイルドの作品を、有島武郎が翻訳しています。「燕と王子」です。翻訳というより、翻案と言っていいでしょう。かなり変えています。特に最後は、王子が「来年またここで会えるから」と言って、ツバメをエジプトに帰します。そして、街の人たちは、醜くなった王子を溶かして鐘をつくります。それは、街を守る鐘となります。

有島の翻案では、天国には行かないのです。こちらの王子の方が、さらに無償の愛かもしれませんね。溶かされて鐘になってまで、人々に尽くすのですから。

有島自身も、北海道の大農場を小作人に無償で与えました。こういう美しい物語が、悲劇的な死を遂げた二人の作家によってつくられたことには何か考えさせられるものがありますね。

本当の　愛はツバメが　教えてくれた
宝石よりも大切なもの

穴の中の小さな命

ろくべえ　まってろよ

灰谷健次郎

「キョユーン、ワンワン。

キョユーン、ワンワン。」

ろくべえが、あなにおちているのを、さいしょに見つけたのは、えいじくんです。

「まぬけ。」

と、かんちゃんがいいました。犬のくせに、あなにおちるなんて、じっさいまぬけです。あなは、ふかくてまっくらです。

鳴き声で、ろくべえということはわかりますが、すがたは、見えません。

みつおくんが、うちからかいちゅう電とうをもってきました。てらすと、上をむいて鳴いているろくべえが見えました。

「ろくべえ。がんばれ。」

えいじくんが、大きな声でさけびました。


（教育出版　小2）

❶ 灰谷健次郎：1934年（昭和9年）～2006年（平成18年）
❷『ろくべえ まってろよ』文研出版 1975　など
❸ 学図小2（小1）／昭55～平4（平17～令2）　教出小2／昭58～平1　など

こんなお話

犬のろくべえが深くて真っ暗な穴に落ちているのを一年生のえいじくんたちが見つけます。

お母さんたちや通りがかりの人に助けを求めますが、だれも助けてくれません。

そこで子どもたちは、ろくべえの恋人のクッキーをかごに入れて下ろします。この「名あん」によって、ようやくろくべえはかごに乗って助け出されたのでした。

灰谷健次郎は、「太陽の子」や「兎の眼」で有名です。これらの長編はベストセラーになり、映画化やドラマ化もされました。

学生にも人気で、毎年のように卒論で取り上げられたものです。しかし、残念ながら現在では、灰谷健次郎の名前も知らない学生がほとんどです。やはり70～80年代の、差別や貧困などの社会問題が熱く語られた時代の作家なのかもしれません。国語の教科書では、なんと言ってもこの「ろくべえ　まってろよ」が知られていると思います。

けっこう深い穴のようですが、ろくべえはいったい何をしていて落ちたのでしょうか。どこにも怪我がなくて本当によかったですね。

それにしても鳴き声だけでろくべえとわかるのですから、えいじくんはよほど普段からかわいがっていたのでしょう。しかし、どうやら飼い主ではなさそうです。ろくべえはおそらく野良犬なのですね。今では野良犬もほとんど見かけなくなりました。

小学生にかわいがられている野良犬。そして道に突然開いている深い穴。これらは日本の70年代までにしか見られない風景なのかもしれません。私が子どもの頃、登下校の道にはたいてい空き地があり、野良犬がいたものです。当時私が飼っていた愛犬リリーは、どこにでもいるような雑種の白犬でした。今の子どもたちが想像するろくべえは、トイプードルや柴犬かもしれませんね。

このお話は、ろくべえを無事助け上げたところで終わります。そのあと、ろくべえはどうなったのでしょうか。できれば、子どもたちのどこかの家の飼い犬になれたらいいのにと思います。子どもたちもこの体験を通して少し成長したことでしょうね。

さて、大人になってこのお話を読むと、二つのことが心にとまります。

一つは、途中で現れる大人たちが、なんとも無責任で冷たいことです。お母さんたちは、「むりよ」と言って帰ってしまいます。子どもたちは「けち」と言うしかありません。次に通りかかった大人も、「犬でよかったなぁ。人間やったら、えらいこっちゃ」と、今では炎上しそうな言葉を残して去ってしまいます。

これを読むと、半世紀が経って、動物に対する意識もずいぶん変わったなあと感じます。カルガモの親子が道路を横断するために、警官が交通整理をする時代です。今なら助けてくれる大人もきっと現れることでしょう。

灰谷健次郎は、熱烈なファンがいる反面、批判されることもありました。例えば、よいものと悪いものの単純な二項対立で物事を分けてしまう点です。貧しい者が善で、金持ちは悪。田舎は善で、都会は悪。そして子どもは善で、大人は悪。このお話でも、灰谷は無責任で薄情な大人たちを批判したかったのかもしれません。

さて、もう一つは、子どもたちが頭をしぼり、試行錯誤して、ろくべえを助ける方法を考え出すことです。元気づけに「おもちゃのチャチャチャ」を歌ったり（この曲の作詞は「火垂るの墓」の野坂昭如です）、シャボン玉を吹いたり。そして飼い犬クッキーをかごに入れて下ろすという案を思いつきます。下手をすると二次被害（？）を生みそうですが、子どもらしいアイデアが功を奏して、ろくべえはクッキーと一緒に助け出されます。

今では、このお話は小学生の「問題解決」の例として読まれているようです。これも時代の反映でしょう。生活の中で出会う問題をどう解決するか。みんなでアイデアを出し合い、試行錯誤して問題を解決していく。これは、現代の教育の一番根幹にあるテーマです。「ろくべえが穴に落ちてしまったこと」、この問題を子どもたちがみんなで解決した物語として、今では読まれるようになったのですね。魅力のある物語は、こうやって姿を変えながら読み継がれていくのでしょう。

ちなみに……

最近では、動物のピンチを救ったという記事をよく目にします。先日、水路にニホンカモシカの子どもが落ちて出られなくなっているという報道がありました。天然記念物で手を出せないとのことで、なんとひと月以上もお母さんカモシカが上から見守るだけ。台風が近づく中、みなが心配しましたが、何とか捕獲はせずに、スロープを作って救出されました。市の職員たちによる、まさに知恵を絞った問題解決でした。カモシカの子どもが山に帰る時、お礼を言うように振り返った姿が、何とも愛らしかったです。

ところで、アメリカの有名な作家カート・ヴォネガットは、物語の基本の形は「男が穴に落ち、穴から出てくる」という展開だと言いました。この説を聞いた時、すぐに頭に浮かんだのが「ろくべえ　まってろよ」です。この物語は、ろくべえが穴に落ちたところから始まり、穴から出てくるところで終わります。まさにヴォネガットのいう物語の基本型です。すぐに助け出せたのでは、まったくおもしろくありません。いろいろと失敗し、試行錯誤しながらようやく解決することで、読み手を惹きつける物語になります。

もちろん穴に落ちなくてもよいのです。何か問題に直面し、それを解決する、それが物語の基本ということですね。このお話が心に残るのは、そのためなのかもしれません。

よかったな　みなで助けた　ろくべえくん
これからなるよ　ぼくの家族に

大空かける「えらぶつ」よ

大造じいさんとがん

椋鳩十

らんまんとさいたすももの花が、その羽にふれて、雪のように清らかに、はらはらと散りました。

「おうい、がんの英ゆうよ。おまえみたいなえらぶつをおれは、ひきょうなやり方でやっつけたかあないぞ。なあ、おい、今年の冬も、仲間を連れてぬま地にやってこいよ。そうして、おれたちは、また、堂々と戦おうじゃあないか。」

大造じいさんは、花の下に立って、こう、大きな声で、がんによびかけました。そうして、残雪が北へ北へと飛び去っていくのを、はればれとした顔つきで見守っていました。

いつまでも、いつまでも、見守っていました。

（東京書籍　小5）

❶椋鳩十：1905（明治38）～1987（昭和62）年

❷『大造じいさんとガン』偕成社文庫 1978　など

❸東書小5／昭28～令2（昭36までは「がん」として掲載）
光村小5／昭55～令2（「大造じいさんとガン」として掲載）　など

こんなお話

今年もまた、残雪はがんの群れを率いて、沼地にやってきました。

狩人の大造じいさんは、知恵を尽くしてがんを捕らえようとしますが、残雪のリーダーシップに阻まれ、一羽も手に入れることができません。

ようやく捕まえた一羽のがんを飼いならしておとりにしようとしますが、はやぶさに襲われます。仲間のがんを助けようと残雪は果敢に戦いを挑み、傷つき倒れます。

大造じいさんは残雪をひと冬の間おりの中で保護し、再び空に放ちます。そして、「また、堂々と戦おうじゃないか」と呼びかけるのでした。

「大造じいさんとがん」が国語教科書に初めて掲載されたのは昭和26年のことです（学校図書6年に「がん」として掲載）。それから実に70年以上、様々な教科書に掲載され続けている、まさに定番教材です。

左右のつばさに一か所ずつまっ白な交じり毛のあるがん、残雪。がんの頭領です。知恵があり、常に群れの先頭に立ち、仲間を救うためには、たとえハヤブサであっても命がけで戦う。これはまさに理想的なリーダー像でしょう。特に、傷ついても残りの力をふりしぼり、毅然として大造じいさんをにらみつける姿には、胸をうたれます。

そのような残雪の姿は、この作品が発表された『少年倶楽部』（大正3～昭和37年）という雑誌も影響しているかもしれません。また、発表されたのが昭和16年11月号、すなわち太平洋戦争開戦直前という時代背景もあるでしょう。つまり、戦前の理想的な少年像が投影されているのです。

今はジェンダーレスが唱えられ、制服や名簿からも男女差がなくなりつつある時代です。残雪のようなリーダー像が男の子だけに求められることも少なくなっていくことでしょう。しかし、「男らしさ」が強く求められた時代に育った軟弱草食系の私としては、かつては大いに迷惑に思いつつも、そのような「男らしいリーダー」への憧れがあったことも事実です。そして、椋鳩十の動物物語は、そのような、人間も憧れる英雄としての「えらぶつ」を、動物の中に見いだしたことへの感動、驚きが描かれているのです。

やはり教科書に掲載されていた「片耳の大鹿」は、鹿の群れを率いる堂々たるリーダーの物語です。また「月の輪熊」では、子グマを助けるために母グマが30メートルもある大滝から滝壺に向かって飛び込みます。椋が初めて描いた動物物語である「山の太郎熊」は、子グマを連れ去った大鷲と命がけで戦う「アルプス一の、えらぶつの熊」の物語です。

また、椋鳩十の動物物語にはもう一つの魅力があります。それは、なかなか体験できない大自然の中でのアウトドア生活と動物との触れあいの描写にあります。

「片耳の大鹿」では、屋久島に大鹿を撃ちに行った一行が、大嵐に遭い、洞穴に逃れます。そこには大鹿に率いられた鹿たちの群れが、やはり雨を避けて、サルたちと一緒に眠っていました。ずぶ濡れになり体が冷え切った一行は、暖かい鹿たちの体に包まれながら一晩を過ごします。このような描写を読むと、はるか遠くの屋久島の原生林の中にはそのような別世界があるのか、自分も一度体験してみたいと思ってしまいます。それは戦前の子どもも、都会で暮らす現代の子どもも変わることのない憧れの世界でしょう。

ちなみに……

子どもの頃に誰もが読む動物物語と言えば「シートン動物記」があります。「狼王ロボ」

や「灰色グマの一生」はディズニーによって映画化されました。私も心を躍らせながら読んだものです。シートンが初めて日本に紹介されたのは昭和10年（「ロボー物語」）。『動物記』として出版されたのは昭和12年のこと、すぐに大人気となり版を重ねました。

シートンの物語と椋鳩十とは多くの共通点があります。椋が初めての動物物語「山の太郎熊」を発表したのは昭和13年。「シートン動物記」の出版とほぼ同時期です。『少年倶楽部』から少年向けの動物物語を依頼されながら、何年も書きあぐねていた椋は、おそらくシートンから大きな影響を受けたことでしょう。

驚いたことに、シートンの動物物語はアメリカではすっかり忘れられていて、日本だけで読み継がれているようです。そしてその原因は、20世紀初頭の「ネイチャーフェイカーズ論争」だったとされています（信岡朝子『快楽としての動物保護』講談社 2020）。この論争、一言で言えば、シートンの描く自然は「フェイク」だという批判です。つまり、フィクションであって真実ではない、ということなのです。

そして、それは椋鳩十の動物物語にも当てはまるようです。以前、小学校教師の伴一孝さんが「大造じいさんとガン」の授業で、マガンの剥製を教室に持ち込んだ映像を見たことがあります（『映像&活字で「プロの授業」をひも解く〈3〉』明治図書 2012）。それは驚くほどの大きさでした。「かた先にとまるほどになれていました」という記述がありますが、とても不可能だと一目でわかります。また、毎年がんの群れを率いてやってくる残雪ですが、最近の研究によれば、実は渡り鳥の先頭は頻繁に交替して疲れないようにしているそうです。おとりのがんを飼い慣らすことが果たして本当にできるのかも疑問でしょう。

かつて言われたような、椋鳩十の動物物語が「科学に立脚した」「動物の生態をきわめて正確に描いている」という評価は当てはまらないと言えます。しかし、だからと言って、アメリカにおけるシートンのように、「フェイク」だと全否定することは明らかに行きすぎです。フィクションを交えた動物と大自然の物語に子どもたちは魅せられ、動物と自然に対する関心と愛情を育んでいきます。それは魅力的な物語だけが持つ不思議な力なのです。

らんまんと　咲いたスモモの　花に似て
白く輝く　つばさの雪よ

象たちの死が訴えるもの

かわいそうなぞう

土家由岐雄

そのころ、日本はアメリカとせんそうをしていました。せんそうがだんだんはげしくなって、東京の町には、朝もばんもばくだんが雨のようにおとされました。

そのばくだんがもしも、どうぶつえんにおちたら、どうなることでしょう。おりがこわされておそろしいどうぶつたちが町へあばれ出たらたいへんなことになります。それで、ぐんたいのめいれいで、ライオンも、とらも、ひょうも、くまも、だいじゃも、どくやくをのませてころしたのです。

いよいよ、三頭のぞうもころされることになりました。

（学校図書　小2）

❶土家由岐雄：1904（明治37）～1999（平成11）年
❷『かわいそうなぞう』金の星社 1970
❸学図小2／昭49～58　教出小2／昭52～58

こんなお話

東京も空襲がはげしくなった頃、上野動物園の動物たちを、処分しなければならなくなりました。逃げ出すと困るからです。

動物たちは、毒入りのエサで次々と殺されていきます。でも、ぞうはかしこくて、毒入りのエサは食べません。皮が厚くて注射もできません。そこで、餓死させることになりました。

トンキーとワンリーは、最後まで生き続けました。エサがもらえると思って、必死で芸をしてみせます。やがてその力もなくなり、とうとう二頭とも死んでいくのでした。

毎年夏になると小学校では、戦争をあつかった物語を読みます。「一つの花」「ちいちゃんのかげおくり」「ヒロシマの歌」「野ばら」「石うすの歌」「川とノリオ」など、たくさんありますが、なかでも「かわいそうなぞう」は、もっとも涙をさそう作品でしょう。実際、今回も再読するのが一番つらいお話でした。

「トンキーも、ワンリーも、ついにうごけなくなってしまいました。じっと体をよこにしたまま、ますますうつくしくすんでくる目で、どうぶつえんの空にながれる雲を見つめているのが、やっとでした」……実話を元にしているだけに、悲しすぎるお話ですね。

しかし、実はこの物語、現実とは異なるとして批判を受けたのです。史実との違いを疑問に思った長谷川潮さんの研究論文に基づき、「そしてトンキーもしんだ」というドキュメント番組が作られました（1982年8月、NHK）。それを元にしたのが、たなべまもるさんの絵本「そして、トンキーもしんだ」です。その後、教科書にもこの作品が掲載されるようになりました。

では、どこが違うのでしょうか？

実際には、空襲が始まる一年以上も前に、動物たちは処分されたのでした。空襲に備える心構えと、危機感をあおるためだったようです。宣伝のための国策として殺されてしまったのです。

政策というと、とかく国や自治体が決めたものとして、責任が曖昧になりがちです。しかし、それを立案し、決定を下した一握りの人たちが必ずいるのです。そして、この動物の虐殺も、発案し命令した人物がわかっています。「かわいそうなぞう」では「軍隊の命令」となっていますが、実際には東京都の初代長官であった大達茂雄の命令でした。

象たちを仙台に疎開させる案もあったのですが、「かわいそうなぞう」では、「仙台にも爆弾が落とされたら」という理由で断念したとされています。

しかし実際には、長官の大達が激怒して却下させたのでした。仙台の動物園は受け入れを承諾していたにもかかわらず。

これらの経緯も、「そして、トンキーもしんだ」には忠実に描かれています。「かわいそうなぞう」よりずっとリアルで、さらにかわいそうな話になっています。つまり、「かわいそうなぞう」は史実を元にした物語で、「そして、トンキーもしんだ」はノンフィクションと言えるでしょう。子どもたちにはどちらがよりふさわしいのでしょうか。いろいろと考えさせられます。

ちなみに……

『象は忘れない』というアガサ・クリスティの推理小説があります。名探偵ポワロシリーズの実質上最後の作品です。「象は決して忘れない」という英語のことわざを元にしたタイトルですが、実際、象の記憶力は抜群だそうです。脳が人間よりはるかに大きくて賢いのです。担当している飼育員さんのことは何年経っても覚えているそうです。動物園の飼育員さんは、象にいやな記憶が残らないように気をつけて接していると語っているほどです（「生きもの大好き」『神戸新聞』2023.9.24）。

こんな象の生態を知ると、いっそう哀れになります。きっとそれまで優しかった飼育員さんの急変がどうしても理解できなかったことでしょう。エサをもらえた時のことを懸命に思い出そうとしたはずです。

ところで、動物たちの処分には、「黒ヒョウ事件」というのもきっかけになったようです。上野動物園から黒ヒョウが逃げ出したのです。大騒ぎになったのですが、上水道の中に隠れているのを発見して、ところてん式に押し出してつかまえたそうです。

先述したように、私は姫路城のすぐ側で生まれ育ちましたが、姫路城の敷地内には小さな動物園があります。子どもの時にはよく孔雀が逃げ出して、我が家の屋根の上で綺麗な羽を広げていたことを覚えています（放し飼いだったようです）。

孔雀だと平和な光景ですが、これがライオンやヒョウの脱走であれば一大事です。そして、何か非常事態になると、人々が持っているそういう潜在的な恐怖につけ込んで、デマを流したり、利用したりしようとする人が必ず現れます。熊本地震が発生した時に、動物園からライオンが放たれたという写真をねつ造してＳＮＳに流し、若者が逮捕されたという事件も起こりました。

象たちは、そんな人々の恐怖につけ込んで、国民の危機意識を高めようとした官僚の残酷きわまる愚策の犠牲になったのですね。

象は忘れませんが、人間はすぐに忘れます。この象たちの出来事は、決して忘れないようにしたいものです。

けんめいに　手足を上げて　芸をする
それしかないの　生きるためには

きつねざくらが咲く時

チロヌップのきつね

高橋宏幸

北の海に、チロヌップという小さな島がある。

春、きつねざくらがさくころになると、決まったようにやって来るじいさんとばあさんがいた。

それは、せんそうがはげしくなった年のことだった。

ふりつづいた雪がやんで、島のまわりに、一面、氷のかたまりが流れ着いた。

しらかば林のおくのあなの中で、きつねの子が二ひき生まれた。

（学校図書 小3）

❶ 高橋宏幸：1923（大正12）～2010（平成22）年

❷『チロヌップのきつね』金の星社 1972　など

❸ 学図小3／昭55～平8

こんなお話

チロヌップとは、北の海の小さな島の名前です。戦時中、その島では、おじいさんとおばあさんが、子ぎつね（ちびこ）と仲良く生活していました。

でも、秋になり、島を引き上げる時が来ました。ちびこを家族の元へと離してやります。ちびこには、おとうさん、おかあさん、ぼうやぎつねの家族がいました。

やがて、ちびこ一家に悲劇が訪れます。島に兵隊が来て、ぼうやぎつねが撃たれてしまうのです。そして、ちびこも罠にかかってしまいます。

お父さんぎつねは、兵隊たちの目をそらすために飛び出したまま帰ってこないのでした。

「のこされたかあさんぎつねにできることは、ただ、ちびこにえさを運ぶことだけだった。きずついた足を引きずりながら、風の日もみぞれの日も、かあさんぎつねは運びつづけた。雪がふり始めた。かあさんぎつねは、歩くことさえ苦しくなってきた。」

この後は、悲しくて、とても書けません……。実は、本書の執筆にあたって、この原稿は最後まで着手できませんでした。あまりにかわいそうでどうにも気が進まなかったのです。絵本も教科書も、高橋宏幸さん自身の絵が用いられています。鉛筆による細密画に、淡い配色。この切ない物語をますます悲しいものにしています。

チロヌップ（アイヌ語できつね）のモデルになったのは、千島列島のウルップ島です。作者が兵隊にいた頃、この島に上陸し、罠にかかった子ぎつねの骨を見つけたことが、この物語を書くきっかけになったようです。

北方領土にあるこの島は、終戦時にソ連軍により占領されました。この物語の中で、きつね一家を銃で撃ち、罠を仕掛けた兵隊たちは、はっきりとは書かれていませんが、ソ連の兵隊でしょう。かつては、日本の兵隊だと誤って伝えていた授業もありました。しかし、この物語は三部作となっていて、他の二作（「チロヌップの子さくら」「チロヌップのにじ」）を読めば、ソ連の兵隊とわかるように書かれています。春が過ぎたら、おじいさんとおばあさんも島に戻ってくるはずでしたが、戦争が終わってから何年経っても帰ってくることができません。それは北方領土がソ連に占領されたからでしょう。何かとロシアがニュースになる昨今、この物語も新たな何かを訴えているような気がします。

さて、この物語では白い花「きつねざくら」が印象的です。ラストシーンで、「おかの上には、きつねざくらが、一面に白くさいていた」と描写されています。

「きつねざくら」は、この作品以外ではあまり聞かない名前ではないでしょうか。どうやらこの花は高山植物の「チシマコザクラ」（トチナイソウ）のことのようです。その名の通り、千島列島で発見された花で、本州では岩手県の早池峰山《はやちね》だけに咲くそうです。高さが三センチほどで、花は五ミリ程度とごく小さな花です。田中澄江さんの『花の百名山』（文春文庫２０１７）には「あまりにも小さくて草地に身を伏せ、ようやくその所在をたしかめた」と記されています。桜草に似た可憐で清楚な花。雪に覆われて死んでいったかあさんぎつねとちびこの化身として、まことにふさわしい花と言えるでしょう。

ちなみに……

『キタキツネ物語』（昭和53年公開）という映画があります。世間では名作とされていますが、大学生の頃に見た私にとっては、今でもトラウマのようになっている映画です。キツネ一家を追うドキュメント（を装ったフィクション）ですが、その中で、罠にかかった子ぎつねがだんだん衰弱し、死んでいく様子をカメラが追い続けていました。私の友人が、「なぜ助けてやらない！」と言っていましたが、まったく同感でした。ドキュメントと「やらせ」、演出や編集などの問題が今ほど騒がれていない時代だったからこそ、作られた映画でしょう。カメラのこちら側に作った人がいることをあまり意識しなかった時代でした。

ところで、「きつね」と「さくら」と言えば連想するのは、歌舞伎や浄瑠璃で有名な「義経千本桜」です。義経の家来の佐藤忠信は、静御前が「初音の鼓」を打つとなぜか姿を現します。実は、忠信はきつねが化けていて、初音の鼓は彼の両親の皮で作られていたのでした。親子の情を哀れんだ義経は初音の鼓を忠信に与えます。

このような物語が生まれたのは、きつねが害獣や妖狐とされながらも、やはり親を殺された子ぎつねを哀れに思う人たちがいたからでしょう。「きつね女房」や「葛の葉」など、きつねの説話はなぜか哀切なものが多いですね。

いつまでも　忘れはしない　君たちを
きつねざくらが　白く咲く丘

第4章

「そうか、そうか、つまり君はそんなやつなんだな」

～遠ざかる思い出はセピア色～

蝶は見つめていた

少年の日の思い出　ヘッセ

そこで、それは僕がやったのだと言い、詳しく話し、説明しようと試みた。

すると、エーミールは激したり、僕を怒鳴りつけたりなどはしないで、低く、

「ちぇっ。」と舌を鳴らし、しばらくじっと僕を見つめていたが、それから、

「そうか、そうか、つまり君はそんなやつなんだな」

と言った。

（高橋健二訳・光村図書　中1）

❶ヘルマン・ヘッセ：1877 ~ 1962年

❷『教科書名短篇　少年時代』中公文庫 2016　など

❸光村中1／昭40~ 令3　東書中1／平18~ 令3　など

こんなお話

夕暮れの湖に面した書斎で、客である友人が語る少年時代の苦い思い出。

12才の「僕」は、蝶集めの熱情の絶頂にいた。ある時、あらゆる点で模範少年であるエーミールが、クジャクヤママユをさなぎからかえしたという噂を聞く。待ちきれなくなった僕はエーミールの部屋に行き、蝶を盗んでしまう。すぐに僕は蝶を返そうとするが、すでに蝶は潰れてしまっていた。

一切を打ち明けた僕に対し、母はエーミールに謝りに行くように言う。しかしエーミールは、冷淡に軽蔑するだけだった。家に帰った僕は、それまで集めた蝶を粉々に押し潰した。

「少年の日の思い出」は昭和22年に初めて教科書に掲載されました。それから実に75年以上もの間、掲載され続けています。まさに最も歴史ある定番教材です。

ヘッセの母国ドイツではほとんど知られていないこの小説。掲載されていた地方新聞の切り抜きを、たまたまヘッセの自宅を訪れていた高橋健二先生に渡してしまったためにヘッセの手元に残らず、ドイツでは忘れられた存在となってしまったのです。この新聞は、平成19年に高校教諭の山之内英明さんがドイツで発掘し、コピーを持ち帰ったことで、ようやく原本が知られるようになりました。

「そうか、そうか、つまり君はそんなやつなんだな」。エーミールのこのセリフ、国語教科書で一、二を争う名ゼリフだと言えるでしょう。ちなみに新しく翻訳された岡田朝雄訳（草思社 2010）では、「そう、そう、きみって、そういう人なの？」とされ、高橋健二訳に親しんでしまった私としては、残念ながら何とも気の抜ける訳になっています。原文はso soなので、「へーえ」「なるほどねえ」といった皮肉で冷淡な言い方なのでしょう。ともあれ高橋健二の名訳によって、エーミールの嫌みな男っぷりが際立つ場面になっていることが改めてよくわかりました。

エーミールの冷酷な言葉によって深く傷ついた「僕」は、あんなに夢中で収集した蝶を一つ一つ粉々に押し潰してしまいます。教科書には「なぜ僕はこのような行動をとったのでしょうか」といった問いが今でも載っています。「本人に聞かなきゃわからない」「作者に聞いてくれ」……中学生のこのようなつぶやきが日本中から聞こえてきそうです。

私はこの場面を読むたび、ＳＦの古典的傑作のタイトル『幼年期の終わり』（クラーク）を思い浮かべます。「僕」の気持ちはどうであれ、一つ一つ蝶を潰していくこの行動は、「少年期の終わり」を表す儀式として描かれていると感じます。打ちのめされるほどの苦い体験によって初めて、人は大人になっていくのでしょう。「無菌室」に入ったまま傷つかないよう保護されていては、子どものまま成人を迎えることになってしまうのです。

ところで、この物語のプロローグとも言うべき場面は、なんとも魅力的です。書斎の窓の外に広がる夕暮れの湖（ヘッセのスイスの邸宅がモデルのようです）。ランプの淡い灯り。闇に沈む横顔。苦い過去の思い出を告白するには、まことにふさわしい雰囲気です。この小説を読んで以来、「語りの場面」のある物語が好きになりました。例えば、「大造じいさんとがん」。光村版では、「さあ、大きな丸太がパチパチと燃え上がり、しょうじには自在かぎとなべのかげがうつり、すがすがしい木のにおいのするけむりの立ちこめている、山家《やまが》のろばたを想像しながら、この物語をお読みください」という前書きがついています。これだけでもうわくわくします。また、泉鏡花の「高野聖」。雪の降りしきる敦賀の宿で旅の僧侶が語る怪談です。

雪に閉ざされた旅の宿の夜半《よわ》。夕暮れの湖が窓一面に広がる書斎。山家の炉端。いずれも、まさに胸がときめく語りの舞台ですね。

ちなみに……

SFの叙情詩人と呼ばれるレイ・ブラッドベリの短編「サウンド・オブ・サンダー」は、タイムマシンで恐竜時代に行った主人公が、「金色に輝く蝶」を靴で踏んだばかりに、未来が大きく変わってしまうというお話です。蝶の羽ばたきが世界に大きな影響を与えるという「バタフライエフェクト」という言葉を思い起こさせる物語です。そして「僕」もまた、一匹の美しい蝶によって少なからず未来を変えられてしまったのではないでしょうか。そう思わせるほど痛々しい体験ですが、ブラッドベリと同様、その原因が蝶だったということは、蝶や蛾の持つ一種妖しい美しさを表しているような気がします。

クジャクヤママユ。ドイツ語で「夜の孔雀の眼」。「四つの大きな不思議な斑点が、挿絵のよりはずっと美しく、ずっとすばらしく、僕を見つめた」。その途端に、「僕」は魅入られたように盗みを犯してしまいます。そして、鳥までもが恐れをなしてしまうという、その大きな光る四つの目は、「僕」の取り返しのつかない過ちをじっと見つめています。いや、大人になった「僕」を今もなお見つめているのです。この蝶（日本では蛾ですが）はまさに、熱情に流されて自分を見失ってしまう、すべての魅力ある「魔物」の象徴でしょう。

そのクジャクヤママユ。一度は見てみたいと思っていたのですが、ついに伊丹市昆虫館で実物標本を見ることができました。やはり大きくて不気味です。子どもの手でつかんでポケットに入れるのは、大きすぎて無理ではないかと感じました。ただ、標本の説明で「少年の日の思い出」に触れられていなかったことだけが、なんとも残念でした。

ところで、この蝶は元々「楓蚕蛾《ふうさんが》」と訳されていました。「蚕《かいこ》」という字がつくように、この蛾は繭玉を作ります。以前、安曇野の「天蚕センター」を訪れた時に、ヤママユガの繭玉を見ることができました。それは美しい神秘的な緑色の糸でした。

夕暮れの　蒼き水面《みなも》の　その闇を
静かに見つめる　クジャクヤママユ

光り輝くマロニエの木

モチモチの木

斎藤隆介

豆太は、小屋へ入るとき、もう一つふしぎなものを見た。

「モチモチの木に、灯がついている。」

けれど、医者様は、

「あ、ほんとだ。まるで、灯がついたようだ。だども、あれは、とちの木の後ろにちょうど月が出てきて、えだの間に星が光ってるんだ。そこに雪がふってるから、明かりがついたように見えるんだべ。」

と言って、小屋の中へ入ってしまった。だから、豆太は、その後は知らない。


（光村図書　小3）

❶斎藤隆介：1917（大正6）～1985（昭和60）年
❷『モチモチの木』岩崎書店 1971
❸光村小3／昭52・平4～令2　日書小3（小4）／昭55～平14（昭52）　など

こんなお話

モチモチの木がこわくて、夜中にひとりでせっちんにも行けないおくびょう豆太の話。

夜中、じさまがうんうん、うなっているのを知って、医者さまを呼びに行きます。

真っ暗なとうげ道を、はだしで泣きながら懸命に走る豆太。

やがて、医者様におぶわれて戻って行く時、モチモチの木に、灯りがいっぱいにともっているのを見ます。

それは、勇気がある子どもだけが見ることのできる山の祭りなのでした。

「モチモチの木」の原作は大判の絵本です。滝平二郎による切り絵が大変印象的です。「花さき山」も「八郎」も、斎藤隆介作品は、もはや滝平二郎の切り絵と切り離しては考えられないほどです。

夜中、モチモチの木がお化けのように枝をのばしている情景、その挿絵を怖いと感じた人も多いのではないでしょうか。

これは一種の、通過儀礼の話と言えるでしょう。「夜中に一人で医者を呼びに行く」という難題をクリアして、豆太は一歩大人に近づくことができました。

それにしても、この話は子どもの時、夜中に野外のトイレに行ったことのある人でないと、なかなか実感できないのではないでしょうか。

昔、田舎のトイレは家の外にありました。もちろん、水洗なんかじゃありません。下から手が伸びてきて、おしりを撫でられそうで……それはそれは怖かったものです。そもそも真っ暗な田舎の夜に、外を歩いてトイレに行くだけで十分怖かったです。

私は今、とある農村の古民家に滞在してこの原稿を書いています。夜になると外は真っ暗で、蛙の鳴き声しか聞こえません。静かすぎて、本当に座敷童が出てきそうです。山の中の真の闇。それを体験していないと、豆太の勇気が十分にはわからないことでしょう。

モチモチの木に灯りがつく……、これはクリスマスツリーを連想させますね。クリスマスツリーも、元はと言えば、冬至の祭りから来ているという説があります。

モチモチの木に灯りがつくのは、「霜月二十日」の晩のこと。現在の暦で言えば、ちょうどクリスマスの頃です。これは、日本版「聖なる夜の物語」なのでしょう。

ちなみに……

このモチモチの木は、「医者様」によれば、トチの木です。じさまが、餅をついている場面も出てきます。先日、私も初めて、本物のトチ餅を食べることができました。と言うのも、あんこの入ったような現代風のトチ餅は食べたことはあったのですが、トチの実だけで作った素朴なものは初めてだったのです。豆太もこれを食べたのでしょうか？　感想は……あまりおいしくない。やはり、今は甘くておいしいものを食べ過ぎているのでしょう。

縄文人の主食は「栗」だった、奈良時代になっても、万葉集の「貧窮問答歌」には栗の食べ物が出てくる、栗を食べるために村には栗の木をたくさん植えていた、という話を、万葉学の先生から聞いたことがあります。栗だけじゃなく、トチの実やドングリなどは保存の利く貴重な食べ物だったのでしょう。

もう一つ、トチの木にまつわる意外なことを知りました。ある美術展で、マロニエの木を描いた絵を見ていた時、解説に「マロニエは日本のトチの木である」と書いてあるではないですか。あの、パリの並木でおなじみのマロニエが、モチモチの木の仲間だったとは(マロニエはセイヨウトチノキと言うらしいです)。

話は変わりますが、最近は、「じさま仮病」説が有力と知って驚きました。小学校の授業でも、「じさまは本当に腹痛だったのか?」という問いで話し合い、「仮病」に意見がまとまったと聞くことがあります。豆太にモチモチの木の灯りを見せたかったから、じさまは病気のふりをしたというのです。

いやいや、待って、と言いたくなります。たしかに、本当に腹痛だったのかどうかの決め手はありません。第2章の「白いぼうし」でも述べたように、こういう問題について考える場合には、物語の中と外の両方から考える必要があります。

まず、物語の外から考えてみましょう。つまり、語り手(ひいては作者)の立場から考えるのです。語り手が本当に「仮病」として読ませたいのならば、テキストにそのような「印」をつけておかなければなりません。もとより直接的に描くのではなく、さりげなく手がかりを示しておくのです。今の言葉で言うならば「匂わせ」ですね。そのような「印」を見つけて語り手の意図を読み取るのが、文学の読みなのです。

私の見るところ、この作品にそのような指標は見つけられません。それでも「仮病」として読むことを「深読み」と言うのではないでしょうか。

次に、物語の世界で考えましょう。山の夜は真っ暗闇です。提灯を持つことなく、数え年5才の幼い豆太は小屋を飛び出しています。これがどれほど危険な命がけの冒険なのか、暗闇を体験していない人は見落としてしまいがちです。

今でも時々、昼間でもキャンプ場などで子どもが行方不明になる事故があります。ましてや真冬の真夜中の峠道です。一本道で麓の村に行ける保証はありません。昔の人はその危険をよくわかっていたことでしょう。たとえモチモチの木の祭りの夜だと言え、そのような危険な行動を愛する孫にさせるでしょうか。

まずは素直に読むことが一番です。豆太がじさまを助けるためにどれだけ勇気ある行動を取ったのか、そこに目を向けるようにしたいものです。

真っ暗な　坂を上れば　その先に
光り輝く　モチモチの木

雪の夜にやってくるもの

かさこじぞう

岩崎京子

すると、真夜中ごろ、雪の中を、

「じょいやさ、じょいやさ」

と、そりを引くかけ声がしてきました。


（東京書籍　小2）

❶岩崎京子：1922（大正11）年〜
❷『かさこじぞう』むかしむかし絵本3 ポプラ社 1967　など
❸光村小2／昭52〜平1　学図小2／昭52〜令2　東書・教出小2／昭和52〜令2　など

こんなお話

たいそう貧乏で、年越しの準備もできないおじいさんとおばあさん。

ある年の暮れ、かさを作って売りに行きますが、ひとつも売れません。

しかたなく家へ帰る途中、６人のおじぞうさんが雪をかぶっているのに出会います。

気の毒に思ったおじいさんは、かさをかぶせてあげます。

が、一つ足りません。おじいさんは、自分の手ぬぐいをかぶせてあげるのでした。

すると、その真夜中のこと……。

雪の昔話と言えば「かさこじぞう」。初めて教科書に掲載されて45年、すっかりそんなイメージが定着したように思います。

大晦日に囲炉裏を囲む、貧乏だけど善良で無欲なおじいさんとおばあさん。雪がまっ白に積もった真夜中に贈り物を運んでくるおじぞうさん。郷愁とともに思い出す日本的な風景です。なんとなく、クリスマスの夜にプレゼントを積んでやってくるサンタクロースのようでもあります。

クリスマスと言えば、私はグランマ・モーゼスの絵を思い浮かべます。古きよきアメリカ。雪に覆われた村での、質素だけれど手作りの幸せなクリスマスの一日が描かれています。グランマ・モーゼスの絵がアメリカ人の心象風景のクリスマスであるように、「かさこじぞう」も日本人の心象風景なのかもしれません。

クリスマスに欠かせないのがまっ白な雪のように、かさこじぞうには雪が欠かせません。雪国の昔話のイメージですよね。

しかし、昔話の「笠地蔵」には、雨や夕立に濡れるおじぞうさんも出てきます。おじぞうさんにかぶせるのも、笠や手ぬぐいだけではなく、ふんどしや布の場合もあります。また、売り物の笠をあげてしまったために、おばあさんにこっぴどく怒られるパターンもあります。つまり、国語教科書の「かさこじぞう」は、昔話「笠地蔵」の数多いパターンの中から、ある一つの話型をもとにして、しかもかなり改作と創作を加えて出来上がったものなのです。

岩崎京子さんが何をもとにして書いたかはわかりませんが、おそらく基本になったのは柳田国男の『日本の昔話』（昭和5年初版）でしょう。今でも文庫本で読めますが、その中の「笠地蔵」は、骨組みとしては岩崎版とほぼ同じです。

ただ柳田版では、「爺あ家はどこだ婆あ家はどこだ」と歌うおじぞうさんの声に答えて、おじいさんは「ここだここだ」と答えます。実は、このおじいさんのセリフはもともと岩崎版にもあったのです。

「じいさまが、思わず、「ここだ、ここだ。」と大声を出したら、うた声はぴたりととまりました。」――この部分が、昭和58年版の教科書からすっかり削られたのでした。たしかに、「ここだ、ここだ」と叫ぶのは、無欲で善良なおじいさんのキャラには合わないのでしょう。

でも、考えてみてください。真夜中ぐっすり寝込んでいるところに、突然、「笠をかぶせてくれたおじいさんの家はどこだ」という声が聞こえてきたら。「ここだよー」と答える方が自然じゃないでしょうか。思わずおじぞうさんを呼んでしまったおじいさん。その方が、自然で人間らしくてお茶目でかわいらしい、私はそう思います。

ちなみに……

「悪い子はいねーがー?」でおなじみの秋田のナマハゲ。平成30年に、そのナマハゲなど全国の来訪神にまつわる行事10件が「来訪神:仮面・仮装の神々」としてユネスコ無形文化遺産に登録されました。ナマハゲだけでは却下されていたのですが、「来訪神」として他の神々ともどもストーリー化して申請したところ認められたのでした。ストーリーのもつ力をまざまざと見せつけられる出来事でした。「来訪神」というくくりで、ナマハゲの性格が世界の人たちにもはっきりわかるようになったのです。

そして、6人のかさこじぞうたちも、この来訪神の仲間として世界文化遺産にしてほしかったなあと私は思います。地域の年中行事になっていないところが弱点でしょうか。

大晦日の夜にやってきて幸いと富をもたらしてくれるかさこじぞう。これは来訪神そのものです。大晦日の夜に出会った7人の「仮面・仮装」の人たちに仲間の死体を運ぶように頼まれる「大歳の火」や、大晦日の夜に道に迷った旅人たちを泊めてあげる「大歳の客」など、同じような話はいろいろと伝わっていて、かさこじぞうの話と混じり合って伝わっている例もあります(訪ねてきたおじぞうさんを家に泊めてあげるなど)。

私が中学校教師だった時、「大歳の夜来たもの——「笠地蔵」をめぐって」という説明文教材がありました（光村中三、昭56・59）。なぜか40年たった今でもよく覚えています。筆者は岩崎さんに「かさこじぞう」の出版を勧めたとされる大川悦生さんです。歳神様を待つ大晦日の夜に、かつては村のお社で昔話を語り合ったことや、新潟の「笠地蔵」では「縮み」という織物をおじぞうさんに巻くことなどが紹介されています。

かさこじぞうは村と町の境にある野原からやってきますが、ナマハゲや来訪神たちはどこからやってくるのでしょうか。それはどこか海や山の彼方にある、常世《とこよ》などの異界・他界からです。大晦日の夜に他界からやってきて善良な人に福をもたらしてくれるのです。

異界からやってくるという点では、桃太郎や雪女、かぐや姫、ドラえもん、「時をかける少女」の深町君も同じですね。私は、異界からやってくるお話に昔から惹かれます。それははるかな別世界への憧れなのかもしれません。

雪の夜の　白き世界の　向こうから
幸せ運ぶ　人の訪れ

コスモスに託した思い

一つの花

今西祐行

お父さんは、プラット・ホームのはしっぽの、ごみすて場のような所に、わすれられたようにさいていたコスモスの花を見つけたのです。あわてて帰ってきたお父さんの手には、一輪のコスモスの花がありました。

「ゆみ。さあ、一つだけあげよう。一つだけのお花、大事にするんだよう――。」

ゆみ子は、お父さんに花をもらうと、キャッキャッと、足をばたつかせて喜びました。

お父さんは、それを見てにっこりわらうと、何も言わずに、汽車に乗って行ってしまいました。ゆみ子のにぎっている、一つの花を見つめながら――。

（光村図書　小4）

❶ 今西祐行：1923（大正12）～2004（平成16）年

❷『一つの花 ヒロシマの歌』集英社みらい文庫 2015　など

❸ 光村・教出小4／昭52～令2　東書小4／平1～令2　など

こんなお話

戦争末期の話。空襲がはげしくなり、食べ物がありません。

幼いゆみ子は、いつもお腹をすかしているので、「一つだけちょうだい」が初めて覚えた言葉でした。そんなゆみ子のお父さんも、戦争に行く日が来ました。

出征の日、ゆみ子は「一つだけちょうだい」と言って、おにぎりをみんな食べてしまいます。それでも足りないゆみ子に、お父さんは、駅の片隅に咲いているコスモスを渡します。喜ぶゆみ子。汽車に乗ったお父さんは、ゆみ子の持つ一つの花を見つめて、出発していきます。

それから10年。とんとんぶきの小さな家から、ゆみ子とお母さんの声が聞こえてきます。ゆみ子の家はいっぱいのコスモスに包まれているのでした。

秋の花と言えば、コスモス。コスモスの登場する教科書作品と言えば、「一つの花」ですね。今西祐行の教科書作品には、このほかに「太郎こおろぎ」「ヒロシマのうた」「はまひるがおの小さな海」など、私自身も懐かしい作品が数多くあります。

「一つの花」はおぼえている人が多いです。平成元年以降すべての国語教科書に掲載されているので、もはや国民的教材の一つと言っていいでしょう。

ただ、子どもにとって、作者の意図通りに読むにはかなり難しい作品だと思います。たいてい「ゆみ子はなんてわがままなんだろう」といった感想しか出てきません。お父さんが戦死したということすらわからない子どもが多いようです。文章自体は難しくはないですが、はっきりと書かれていないことが多いのです。文脈から類推できることや、隠喩として表していることが多く、心理描写もありません。

特に、一つだけの花＝コスモスが意味していることは、高学年でないとなかなか読みとれません。

平和。お父さんの愛情。ゆみ子に託した願い。命。……いろいろと読みとれるでしょう。作者は、「絶えることなく受け継がれる愛」を象徴させたかったと言っています。実際に、戦後の焼け野原に咲いているコスモスの花に触発されて書かれた作品のようです。

コスモスの清楚で可憐なイメージ。それと、お父さんの願いを重ね合わせなければ、コスモスの隠喩は読みとれません。これは、かなり高度な読みと言えるでしょう。

ただ、同じ4年生の道徳の教科書（光村図書）には、「世界に一つだけの花」の歌詞が出ています。ここでも花は隠喩として使われていますが、何のたとえかよくわかるようになっています。比喩について理解するには、ちょうどいいかもしれませんね。

ちなみに……

花は、様々な意味を託される存在かもしれません。ひまわり、白百合、芍薬、薔薇など。

昔、ある大学の先生で、ゼミの女子学生から黄色い薔薇を贈られた先生がいました。学生は、ただ部屋に飾ってほしかっただけだったようです。ところが、その先生は言語学の専門家。黄色い薔薇＝嫉妬、という花言葉をすぐに思い浮かべました。

むむ、彼女は、ぼくの他の学生に対する扱いに嫉妬しているのか……。

そこでその先生は何を思ったか、市内の本屋を回って、花言葉辞典を買い占めてしまいました。学生が、花言葉に託して、自分に気持ちを伝えることが今後はないように。

ここまで来ると、かなり自意識過剰ですね。深読みはよくないです。ただ、それだけ隠喩というものは、自由に解釈されてしまうということでしょう。

さて、この作品は、いろいろな「キズ」も指摘されています。

・昭和19年の秋のはず（終戦は20年8月）なのに、本土が空襲される昭和20年の話になっている。

・赤ちゃんが初めて覚える言葉がそんなに長いはずがない。

・一人で汽車に乗って出征することはありえない。必ず町内の見送りがある。

・お腹をすかした子どもがコスモスで喜ぶか？

現実に即して考えるのならば、このような点が疑問視されています。

ただ、この話の初出は昭和28年。まだ終戦から10年経っていません。つまり、10年後の世界は、実際にはまだ訪れていない近未来なのです。かなりファンタジーに近いお話と受け止めた方がよさそうですね。

渡すのは　コスモスだけじゃ　ないんだよ
あなたを思う　私のこころ

第5章

「そんなにもあなたはレモンを待っていた」

～文豪もときめきがお好き～

愛する人に捧げます

レモン哀歌

高村光太郎

そんなにもあなたはレモンを待つてゐた
かなしく白くあかるい死の床《とこ》で
わたしの手からとつた一つのレモンを
あなたのきれいな歯ががりりと噛《か》んだ

（東京書籍　中3）

❶ 高村光太郎：1883（明治16）～1956（昭和31）年
❷『智恵子抄』新潮文庫 2003
❸ 東書中3／昭47～平28　教出中2／平24・28

こんな詩（承前）

トパァズいろの香気が立つ
その数滴の天のものなるレモンの汁は
ぱつとあなたの意識を正常にした
あなたの青く澄んだ眼がかすかに笑ふ
わたしの手を握るあなたの力の健康さよ
あなたの咽喉《のど》に嵐はあるが
かういふ命の瀬戸ぎはに
智恵子はもとの智恵子となり
生涯の愛を一瞬にかたむけた
それからひと時
昔山巓《さんてん》でしたやうな深呼吸を一つして
あなたの機関はそれなり止まつた
写真の前に挿《さ》した桜の花かげに
すずしく光るレモンを今日も置かう

かつて教科書には近現代の名詩がたくさん載っていました。あるラジオパーソナリティが、かつて習ったという三好達治「甃《いし》のうへ」を朗々と暗唱しているのを聞いたことがあります。また、ダウンタウンの松本人志さんが、谷川俊太郎の「ネロ」（二才で死んだ子犬の詩）に感動して、愛犬の作文を書いたと語っていました。

最近の現代詩は、一般の人の理解できるものではなくなったように感じます。今、俳句や短歌が人気を集めているのは、詩が身近なものではなくなったことと無関係ではないでしょう。詩が教科書に載ることも減ってきました。

中学や高校の思春期にぜひ読みたいのが、高村光太郎の詩でしょう。わかりやすく、素直に心に響きます。「道程」や「冬が来た」「ぼろぼろな駝鳥」、そして妻の智恵子を詠った「樹下の二人」「あどけない話」、そしてこの「レモン哀歌」。中学や高校の教科書に採用された詩は数多いですが、近年、出会う機会が減っているのは残念でなりません。

この「レモン哀歌」は智恵子の臨終の場面を詠っていますが、没後五ヶ月ほどたってから書かれています。「すずしく光るレモンを今日も置かう」と詠う没後数ヶ月の時点から、臨終の時を回想して書かれているのです。これがポイントです。

「レモン哀歌」は、宮澤賢治の妹トシの死を詠った「永訣の朝」の影響を受けて書かれたものと言われています。たしかに「永訣の朝」でトシが欲しがった「天上のアイスクリーム」としてのみぞれ雪が、「天のものなる」レモンに置き換わった感じがします。しかし、死に瀕したトシの様子が生々しく切実に伝わってくる「永訣の朝」に比べると、「レモン哀歌」は透明でどことなく爽やかな空気が伝わってきます。それはこの詩が発表されたのが、『新女苑』という若い女性を対象としたモダンな雑誌だったことも影響しているのかもしれません。また、黄色い「レモン」のイメージも大きいでしょう。

しかし、それだけではありません。「白くあかるい」「きれいな歯」「トパァズいろの香気」「青く澄んだ眼」「健康さ」「山巓でしたやうな深呼吸」「桜の花かげ」「すずしく光るレモン」といった表現には、智恵子の死を美しい記憶として昇華しようとする光太郎の意識が感じられます。

『智恵子抄』の「山麓の二人」という詩は、よりリアルに心に迫る絶唱です。智恵子の病状がまだ初期の頃。「――わたしもうぢき駄目になる」と「泣きやまぬ童女のやうに慟哭する」智恵子に、「この妻をとりもどすすべが今は世に無い」と詠う光太郎。この後、狂乱とも言うべき症状にまで進行した智恵子を献身的に看病した光太郎は、壮絶な日々を過ごしたようです。それだけに、「レモン哀歌」の「智恵子はもとの智恵子となり生涯の愛を一瞬にかたむけた」という一節には、光太郎の切実な願いと祈りが感じられます。

智恵子の病には、光太郎も強く責任を感じていたようです。智恵子の死の美化と昇華は、光太郎自身の深い喪失感と悔恨を癒やすすべでもあったのかもしれません。

ちなみに……

実際に、光太郎は毎朝、智恵子の写真にレモンを供えていたようです。レモンはサンキストのレモン。梶井基次郎の「檸檬」と同じです。当時の輸入品のレモンは高価であるとともに西欧の雰囲気をまとったお洒落な品だったはずです。船に乗って遠い航海を経たレモンは、真っ黄色に熟して「トパァズいろ」の香りを放っていたことでしょう。

授業ではよく、スイカやみかんなどと比べてみようという課題が出ますが、今の中学生にとってのレモンのイメージは当時とは異なるでしょう。それでもこの詩がレモンでなければ成り立たないことは理解できるはずです。時代は変わっても、レモンの爽やかな印象は変わらずに、智恵子の思い出を包み込んでいるのです。

私は信州・安曇野にある碌山美術館を何度か訪れたことがありますが、光太郎の「手」などの彫刻作品は圧倒的な存在感を放っていました。父親である高村光雲の後を継いで、むしろ光太郎が本道としたのは彫刻だったようです。

光太郎は背が高く、当時としては大男でした。身長177㎝とか190㎝とか、いろいろな説があるようですが、智恵子（150㎝）と並んだ写真を見ると、光太郎の胸のあたりまでしかありません。１８０以上はあったのではないでしょうか。友人の詩人・堀口大学は光太郎を「巨人」と呼んでいますが、芸術家としての比喩ではなく、文字通りの巨躯だったようです。西欧帰りの「ハイカラ」な新進芸術家で、背が高く彫りの深い顔立ちの光太郎に智恵子は一目ぼれしたようです。終戦後、岩手の山里に蟄居した頃の白髭の老人となった光太郎の写真を見慣れていた私には、意外な事実でした。しかしその凛々しく直截な詩や、堅牢な彫刻、理想主義で愚直な生き方にふさわしい容姿と言えるかもしれません。

亡くなるまで、光太郎は一筋に智恵子を想い続けていたようです。東北を旅行した時に、十和田湖の湖畔に立つ通称「乙女の像」を見ることができました。光太郎が70歳の時に完成したこのブロンズ像は、いつしか智恵子がモデルだと言われるようになりました。光太郎自身も「智恵子観音」だと述べています。長年にわたる山奥での独居生活もあいまってか、智恵子のイメージはだんだん母親や天女、観音様へと変化していったようです。

いつまでも　あなたのために　捧げたい
天のものなる　トパァズの香り

あなたの魂、私があがなう

銀の燭台

ユゴー

忘れてはいけません。決して忘れてはいけませんぞ。この銀の食器は、正直な人間になるために使うのだと、あなたがわたしに約束したことを。ジャン＝バルジャンさん、あなたはもう悪のものではない。善に属するものです。わたしがこれであがなったのは、あなたの魂です。わたしはあなたの魂を、暗黒な思想や、破滅の精神から引き出して、そしてそれを神に捧げます。

（久米正雄脚色・東京書籍　中3）

❶ヴィクトル・ユゴー：1802～1885年

❷『レ・ミゼラブル』（全5巻）新潮文庫 1967　など

❸学図中1／昭41・44　光村中2／昭43
東書中3／昭37・41（「レ・ミゼラブル」として収録）　など

こんなお話

わずか一片のパンを盗んだことをきっかけに、19年間もの徒刑囚生活を送ることになった男、ジャン・バルジャン。ようやく釈放されますが、囚人の身分証を提示しなければならないため、どこに行っても迫害され、泊まる場所さえありません。疲れ果ててベンチで寝ていると、老婦人から司教館のわきにある小さな家に行くように言われます。

ミリエル司教はジャン・バルジャンを大切な客として迎え入れ、温かい食事と銀の食器でもてなし、ベッドを提供します。生まれて初めて人間らしく扱われたジャン・バルジャンは、感激して自分の半生について語ります。しかし夜中に目覚めたジャン・バルジャンは、銀の食器を盗んで逃げ出したのでした。

翌朝、憲兵たちに捉えられたジャン・バルジャンに対して、ミリエル司教は、「銀の食器といっしょに、銀の燭台もあげたのになぜ持っていかなかったのですか？」と語りかけ、銀の燭台を渡しました。

この「銀の燭台」は不朽の名作『レ・ミゼラブル』の中でも一番有名な場面と言ってもいいかもしれません。長大な作品の冒頭に出てくるエピソードです（ちなみに、ミュージカルでは、開始早々あっという間にこのシーンになります）。

今では道徳の教科書で読んだという人の方が多いでしょう。道徳では、「相互理解・寛容」という指導内容で扱われることが多いようです。人の過ちや失敗を広い心で受け止めようとする心を育てるということでしょう。

たしかにミリエル司教の寛容さには誰もが感動します。「少年の日の思い出」の、あの冷酷なエーミールと比べたら、どちらの人間性に惹かれるかは明白でしょう。

しかし、許すどころか、銀の食器に加えて銀の燭台まで差し出す司教については、自分には到底真似できない、理解できない、という方も多いのではないでしょうか。

そう思うのも無理はありません。司教は、けっして銀の燭台をジャン・バルジャンにあげたのではなく、ましてや貧者に「ほどこした」のでもありません。

「わたしが購うのはあなたの魂です。あなたの魂を暗い考えや破滅の精神から引き離し、神に捧げます」（西永良成訳）と司教は語りかけています（ちなみにミュージカルでも、「闇からあなたを主は救いたまう／あなたの魂、私が買った！」と司教が歌い上げます）。つまり銀の燭台は、あげたのではなく、ジャン・バルジャンの魂と交換したのです。そしてジャン・バルジャンの魂を、地獄の罪の世界から救い出したのです。

レ・ミゼラブル全体を読むと、この場面が単に「寛容」や「相互理解」について述べているだけではないことがさらによくわかるでしょう。何よりジャン・バルジャンが更生して善の道を歩もうとするきっかけになる出来事であり、この銀の燭台は、その後も重要な場面にたびたび登場します。そしてジャン・バルジャンが天に召される最後の場面にも出てきます。それまで築き上げた莫大な財産も、愛するコゼットも、すべてを失ったジャン・バルジャンは、ただ一人で死を迎えようとしますが、銀の燭台だけは枕元にあります。生まれ変わり気高く生きようとしたジャン・バルジャン。その苦闘の人生を最後まで照らす光として、銀の燭台は描かれているのです。

ちなみに……

司教の行為とその後のジャン・バルジャンの改心が、不自然で嘘くさいものにならないために、ユゴーは周到な伏線を張っています。さすが偉大なる文豪です。

①司教には実在のモデルがいて、その清貧と慈愛に満ちた生涯を延々と述べている。

②ミリエル司教は死刑台に立ち会ったことがあり、罪人に深い同情を感じていた。

③銀の食器は教会のものではなく、もともと貧しい人々のものだと司教は考えている。

④「あなた」「兄弟」と呼び、人間として接してくれた司教にジャン・バルジャンは感動する。

⑤月の光に照らされ神々しく輝く司教の寝顔を見つめて、ジャン・バルジャンは動揺する。

さらに大切なのは、銀の燭台をもらってすぐにジャン・バルジャンが更生するわけではないことです。この直後に、たまたま出会った少年が落とした銀貨を踏みつけたまま渡そうとしないという出来事がありました。これは無意識の行動として描かれています。

これが重要なのです。つまり、19年間の徒刑囚生活で体に染みついてしまった「習慣と本能」による盗みであり、ジャン・バルジャンの中の「野獣」がしたことなのです。

このことに気づいて、初めてジャン・バルジャンは自分のおぞましい魂をありのままに見つめます。大声で何度も少年の名を呼び、銀貨を返そうとしますが、手遅れだとわかると、自分の惨めさに19年間で初めて泣きじゃくります。何時間も。そしてやがて司教の姿が彼の魂を光で満たしていきます。ここで初めてジャン・バルジャンは生まれ変わり、新たな人生を歩み始めるのでした。

さて、「レ・ミゼラブル」と言えば、なんと言ってもミュージカルの金字塔です。私は30年以上前から見続けて、もはや何回見たかわからないほどです。本場ロンドンでの公演も、コンサート形式の公演も見ました。ラストシーンで、銀の燭台に照らされながら天に昇っていくジャン・バルジャンを、天国の司教やファンティーヌ、エポニーヌたちが出迎え、あの「民衆の歌」が静かに流れ始めると、もう涙が止まりません。

「下を向け」（ルック・ダウン）という囚人たちの歌から始まり、ジャン・バルジャンたちが天に昇っていく場面で終わるミュージカルは、「下から上へ」つまり社会の最下層で苦しむレ・ミゼラブル（惨めな人々）が気高く生きようと懸命に戦い、やがて天上へと上っていくという、壮大な原作の中核にあるテーマを、わかりやすく示しています。

燭台は　天に捧げた　あなたの心
銀の光に　輝く日まで

瞳に映った私の姿

白

芥川龍之介

同時に白はお嬢さんの目へ、じっと彼の目を移しました。お嬢さんの目には黒い瞳にありありと犬小屋が映っています。高い棕櫚の木のかげになったクリイム色の犬小屋が、――そんなことは当然に違いありません。しかしその犬小屋の前には米粒ほどの小ささに、白い犬が一匹座っているのです。清らかに、ほっそりと。――白はただ恍惚とこの犬の姿に見入りました。

（『蜘蛛の糸・杜子春』新潮文庫）

❶芥川龍之介：1892（明治25）～1927（昭和2）年
❷『蜘蛛の糸・杜子春』新潮文庫 1968　など
❸筑摩中1／昭36　など

こんなお話

白は、ある時、隣の飼い犬である黒が、犬殺しにさらわれそうになっているところに出くわします。白は黒を助けようと思ったものの、自分が殺されるかもしれないという恐怖から、その場を去ってしまいました。そして、自分の飼い主であるお嬢さんと坊ちゃんにこのことを伝えようと急ぎます。

ところがその時、白の毛は真っ黒になっていたため、２人に狂犬扱いされ、追い出されてしまうのです。

行き場をなくした白は、その後、ある１匹の茶色い子犬を助けます。これをきっかけに、その後も次々と人命を救い、義犬として新聞に取り上げられるようになりました。

そして、ある秋の夜中に、白は久しぶりに主人の家に帰ってきます。そして、月に向かって黒を見殺しにした懺悔を語り、自殺する前に一目ご主人に会えるよう祈るのです。

翌朝目が覚めると、そこには「白が帰ってきた！」と喜ぶお嬢さんと坊ちゃんの姿がありました。

芥川龍之介は、優れた童話作家でもありました。「蜘蛛の糸」「魔術」「杜子春」と名作が続き、「白」は最後の童話作品となりました。

友達の黒が、犬殺しの罠に掛けられるのを見殺しにしたために、白の毛は真っ黒になってしまいます。それから白は、臆病な自分を恥じて、様々な危険と戦いながら人助けを続けました。

ある秋の真夜中、疲れ切って飼い主の家に戻り、いつしかぐっすり寝入ってしまいます。そして、お嬢さん、坊ちゃんの声に目をさました白は、自分が白だと気づいてもらえたことに驚きます。

「さすが、芥川！」と思うのは、白が自分の元通りになった姿に気がつくシーンです。白は、飼い主のお嬢さんの目に映る自分の姿を見つめるのです。

「米粒ほどの小さささに、白い犬が一匹座っているのです。清らかに、ほっそりと。――白はただ恍惚とこの犬の姿に見入りました。」

私が大学生の頃に近代文学を教わった平岡敏夫先生は、芥川には、このフレーズを書き

たい！というキメの文が必ずあると話していました。

「白」では、この「清らかに、ほっそりと」がキメの文だそうです（ちなみに「蜘蛛の糸」では、「後にはただ極楽の蜘蛛の糸が、きらきらと細く光りながら、月も星もない空の中途に、短く垂れているばかりでございます」です）。

たしかに。うなずけます。

「清らかに、ほっそりとした」姿は、心を改めて、生まれ変わった自分なのです。それは、「清らかな白色」で、しかも「ほっそりと」したイメージなのでしょう。

最近、どんどん日焼けして、体重もなかなか減らない私には、なかなかたどりつけない境地のようです。

ちなみに……

最近、ＤＶＤで「どろんこハリー」を見ました。国語の教科書にも掲載されたことがあります。原題は「HARRY the Dirty Dog」つまり、汚れた犬ハリー。いささか身も蓋もないタイトルで、「どろんこハリー」と訳した渡辺茂男さんに拍手を贈りたいと思います。

お風呂のきらいな犬のハリー。逃げ出して、いろいろ遊び回っているうちにどろんこになり、黒ぶちの白犬が、白ぶちの黒犬になってしまいます。

家に帰ってきますが、ハリーだと気づいてもらえません。いろいろな芸をしても、ダメ。そこでハリーは、埋めておいたブラシをくわえ、自分でお風呂に入って、洗ってもらい、元の白犬に戻って、やっと気づいてもらったのでした。「じぶんのうちってなんていいんでしょう」と、いい気持ちでぐっすり眠るところで終わります。

あなたは、飼い犬の顔はわかるでしょうか？　たとえどろんこになったとしても。

この絵本、いくらなんでも、どろんこになったぐらいで飼い主が気づかないなんて変！という愛犬家からの批判があります。たしかに、いろいろな芸までしているのに、ちょっとひどいですよね。

さて、この話を読むたびに思い出すのが、芥川龍之介の「白」なのです。

ストーリーの骨格は、驚くほどそっくりです。白い犬が悪いことをしたために真っ黒になってしまい、飼い主に気がついてもらえない→いいことをして、元の白犬に戻る→飼い主は、やっと気がつく。流れは同じです。でも、中身はまったく違います。

「白」の方は、仲間を見殺しにしてしまうのだから、深刻です。ちなみに「犬殺し」というのは、私のような年代だと、子どもの時に見聞きした記憶がかすかにあります。かつては狂犬病が恐れられていました。野犬やオオカミはそのために駆除されたのです。子どもも心にも、針金でできた罠を手に持った「犬殺し」は、なんとも怖ろしい存在でした。白の足がすくんでしまったのも無理はありません。

仲間を見殺しにして自分だけ助かるというエゴイズム。これは「蜘蛛の糸」と同じです。

いや、「魔術」も「杜子春」もそうです。「エゴイズム」が芥川のテーマとはよく言われますが、童話では、自分の心がお釈迦様や魔術師や仙人から「試される」のです。（ちなみに、あのジェームズ・キャメロン監督は、映画「タイタニック」のテーマを「人間性が試される、大きな試練」だと企画メモに書いています。芥川の童話と同じですね。）

「蜘蛛の糸」では真っ逆さまに地獄に落ちますが、「魔術」では自分に魔術を使う資格がないと気づきます。そして「杜子春」では人間らしい暮らしに再出発します。

そして「白」。白は、自分の力でエゴイズムを乗り越えて白い姿に戻ります。その自分の姿を「恍惚と」見つめるのです。

芥川龍之介の童話は、晩年に向かうほど前向きなメッセージを伝えているようです。

ほっそりと　清らかなまま　いつまでも
あなたの瞳に　映った私

ベルリンの雪に消えた愛

舞姫

森鴎外

石炭をばはや積み果てつ。中等室の卓《つくえ》のほとりはいと静かにて、熾熱灯《しねつとう》の光の晴れがましきも徒《いたずら》なり。今宵は夜毎にここに集ひ来る骨牌《カルタ》仲間もホテルに宿りて、船に残れるは余一人のみなれば。

（『鴎外全集第一巻』岩波書店）

❶森鴎外：1862（文久2）～1922（大正11）年

❷『舞姫』集英社文庫 1991　など

❸筑摩／昭34～令5　三省堂／昭40～令5　など

こんなお話

日本に帰国する途上のサイゴンの港。船上で太田豊太郎は一人、ベルリンでの出来事を回想記に記している。豊太郎は大学創立以来の秀才で、期待の新進官僚としてドイツに留学した。三年ほどがたったある日、貧しい踊り子エリスに出会い、一目で恋に落ちる。

踊り子との交際が周囲に知られるようになり、ついに豊太郎は免官されてしまう。豊太郎は親友の相沢謙吉から新聞社の仕事を紹介してもらい、エリスと貧しいながらも楽しい日々を送るなか、エリスは妊娠する。

そんな時、相沢が天方大臣に随行してベルリンを訪れる。通訳の仕事を依頼された豊太郎は大臣に評価され、共に日本に帰ることを承知してしまう。

極寒のベルリンを一晩中さまよい歩いた豊太郎は意識不明のまま病の床につく。その間に相沢がエリスにこれまでの経緯を明かしてしまうと、あまりのショックにエリスは発狂する。豊太郎はエリスを残して帰国の途につくのだった。

「舞姫」が高校の教科書に掲載されたのは昭和32年のこと。それから65年以上、定番教材であり続けています。多くの人が一度は読んだことでしょう。そしておそらく「エリスがかわいそう」「豊太郎はひどい」という感想を持ったと思います。

私自身もその一人です。豊太郎は立身出世に凝り固まった男で、栄達のためにエリスを捨てた、まるで「少年の日の思い出」のエーミールが大人になったような、人の心の通わない冷酷なエリート……そう思い込んでいました。

しかし、よく読むと、豊太郎はけっしてそういう男ではなく、むしろ逆だということがわかります。「我が心はかの合歓という木の葉に似て、物触れば縮みて避けんとす。我が心は処女に似たり」「弱く不憫な心」……合歓の木の葉のように内向的で傷つきやすく、臆病で引っ込み思案。ほかの留学生のように華の大都会で遊び回らなかったのも、禁欲的だったからではなく、「外物」を恐れていただけだと言います。社交が苦手で日本の仲間とも交際ができない、それが後に告げ口がもとで免官される原因になったと言うのです。

大権力者である天方大臣（モデルは山県有朋）に一緒に帰国するよう言われると、思わず「わかりました」と言ってしまう。そしてエリスには真実を言えずに悶々と雪のベルリンをさまよう。どうしようもなくなって進退窮まり意識不明の重症となると、その間に親友が片を付けてくれている。何とも見事なダメ男っぷりですが、同じような性格の私には、そうなってしまう気持ちも理解できるような気がします。立身出世のために恋人を捨てる悪漢と言うよりは、「弱く不憫な心」によるダメ人間と言うべきなのでしょう。

またドイツ留学の間に、自分を「活きたる法律」「心のままに用いるべき器械」にしようとする官長に疑問を持つようになります。むしろ血の通わない官僚になることを放棄するつもりなのであり、「富貴」のためにエリスを捨てるということはどこにも書かれていません（結果的にはそうなりますが）。もしかしたら豊太郎は日本で一番誤解されている登場人物なのかもしれません。

それに対して、エリスはまことに清楚な薄幸の美少女として描かれています。特に「乳の如き色の顔は灯火に映じて微紅を潮したり」という表現から、私は洋画家・藤田嗣治の「乳白色の肌」と呼ばれた女性像を連想します（ちなみに藤田の父親は森鷗外の後任の軍医総監であり、藤田は鷗外のすすめでパリに留学します）。そんなエリスは、貧民街に住む、父親の葬式も出せないほどの貧しい家庭の踊り子です。

ちなみに「幸福の王子」が出版されたのが１８８８年。まさに豊太郎とエリスが楽しく同棲していた頃です。「幸福の王子」の舞台もドイツだとされています。幸福の王子が見た様々な貧しい人々の一人に、踊り子のエリスもいたことになります。

エリスは最後まで異国から来た豊太郎につくす健気な少女として描かれています。この物語は、「エリスはかわいそう」「豊太郎は情けないダメ男」だと思わせるように書かれているのです。それによって鷗外は、贖罪の気持ちを描くとともに、読者に様々な問題提起をしているのでしょう。自分らしく生きたいと思いながらも、豊太郎は「家を興す」「最愛の母親の期待に応える」といった「足の糸」に縛られています。結局、それに打ち勝ち自由に羽ばたくことができなかった豊太郎は、当時の多くの青年の姿でもあったのです。

ちなみに……

戦前からヨーロッパに留学する日本人は数多くいましたが、鷗外の仲間と同じく、現地の愛人を捨てて帰国する人も少なからずいたのが実情です（藤田嗣治は逆に日本に残した新妻と離婚してフランス人のモデルと結婚します）。彼らに比べると、むしろ鷗外が誠実に思えるほどです。友人たちは鷗外の苦悩を知って、おそらくその純情さにあきれたのではないでしょうか。それほど男尊女卑と立身出世の時代だったということでしょう。

大学生の時に、近代文学の泰斗である平岡敏夫先生の授業で、エリスのモデルとされるエリーゼから贈られた、鷗外のイニシャル入りのハンカチ入れとモノグラムの型（当時のドイツでは嫁入り道具とされる）を、鷗外は生涯大切にしていたことを知りました。高校の時の「豊太郎＝鷗外はひどい」という印象が覆されて大変意外だったことを覚えています。

近年、ベルリン在住の六草いちかさんの研究（『鴎外の恋 舞姫エリスの真実』講談社 ２０１１）によって、エリーゼについて様々なことが明らかにされました。エリーゼは踊り子ではなく、日本から帰国後はお針子となっています。また、かつてはエリーゼが帰国する鴎外を追いかけて日本に来たと言われていましたが、鴎外がエリーゼを先に船に乗せ、日本での滞在先のホテルも手配していたようです。日本で結婚するつもりだったのですね。ところが鴎外は両親に説得され、エリーゼもまた鴎外を心配する友人たちに説得され、いったん帰国することになります。あくまで一時の別れであり、鴎外は追いかけてドイツに移住するつもりだったとも言われています。「生木をさく」とはまさにこのことでしょう。横浜港で見送ったのが生涯の別れになってしまいました。

しかし、その後も文通が長く続き、鴎外が臨終の時、その手紙とエリーゼの写真を目の前ですべて焼却させたと言われています。

降りしきる　鷺のごとき　雪片の
かなたに消えし　青き瞳よ

参考文献

●小谷野敦『川端康成伝　双面の人』中央公論新社 2013

●川端康成『川端康成初恋小説集』新潮文庫 2016

●東京都写真美術館編『マジック・ランタン　光と影の映像史』青弓社 2018

●石割透編『芥川竜之介書簡集』岩波文庫 2009

●ポーラ・パリージ、鈴木玲子訳『タイタニック　ジェームズ・キャメロンの世界』ソニーマガジンズ 1998

●北吉郎『新美南吉「ごん狐」研究』教育出版センター 1991

●ミンガド・ボラグ『「スーホの白い馬」の真実　モンゴル・中国・日本それぞれの姿』風響社 2016

●ヘルマン・ヘッセ、岡田朝雄訳『少年の日の思い出』草思社 2010

●湯原かの子『高村光太郎　智恵子と遊ぶ夢幻の生』ミネルヴァ書房 2003

●六草いちか『鴎外の恋　舞姫エリスの真実』河出文庫 2020

●六草いちか『すべてのナゾがこれで解けた!!　鴎外「舞姫」徹底解読』大修館書店 2022

●阿武泉『読んでおきたい名著案内　教科書掲載作品 13000』日外アソシエーツ 2008

おわりに

国語教科書の名作たちをめぐるタイムトラベルはいかがでしたか。

教科書には、定番教材だけでなく、意外な作品も時々掲載されます。

私が、「こんな作品が教科書に載っている！」と驚いたのは、レイ・ブラッドベリの「霧笛」（教育出版中2／昭62〜平5）です。SFの叙情詩人と呼ばれ、名作も数多いブラッドベリ。「霧笛」は、灯台の鳴らす霧笛の音を仲間の鳴き声と勘違いして、年に一回海の底から姿を現す恐竜の物語です。

最近も、ネス湖の恐竜の大規模な捜索が話題になっていました。しかし、たった一頭で残された恐竜の深い孤独を思った人はどれだけいるでしょうか。私の家からは神戸の港を行き交う船が鳴らす霧笛がよく聞こえます。しかし恐竜の鳴き声と思ったことは一度もありません。まさに詩人ならではの発想ですね。

主題や登場人物の気持ちなど考えなくてもいいのです。とにかく胸がときめくような面白い物語や、作家ならではの発想に驚くような作品、心を揺さぶられ深く感動する作品を教科書には載せてもらいたいと思います。それが子どもたちを読書へと導いていくことになるのです。

もうすぐ戦後80年。国語教科書にはまだまだ名作、傑作が数多く存在しています。機会があれば、またその魅力について語ってみたいと思います。

最後になりましたが、今回も的確なアドバイスをいただいた東洋館出版社の上野絵美さん、時代も国も異なるイラストをたくさんお願いしたにもかかわらず、素敵な挿画で本書を飾っていただいた野宮レナさんに感謝の意を表します。本当にありがとうございました。

2023年11月　タイガース日本一の夜に　山本茂喜

syamamo1207@gmail.com

著者紹介

山本茂喜

Shigeki Yamamoto

1957年兵庫県生まれ。

筑波大学第一学群人文学類卒業。筑波大学大学院教育研究科修了。国語教育学専攻。桐朋中・高等学校教諭などを経て、香川大学教育学部教授。2023年度より香川大学名誉教授。

神戸市東灘区在住。

趣味は落語、観劇、スポーツ観戦、アナログレコード鑑賞。

好きなものは温泉、ネコ、旬の果物。

主な著書に、『思考ツール×物語論で国語の授業デザイン』『思考ツールで国語の「深い学び」』『ビジュアル・ツールで国語の授業づくり』『魔法の「ストーリーマップ」で国語の授業づくり』（すべて東洋館出版社）などがある。

イラスト・漫画

野宮レナ

Rena Nomiya

関西生まれ。漫画家・イラストレーターとして活動。趣味は神社仏閣巡りと海外ひとり旅。

主な著書に『おはヨウム! ロッコちゃん』『トルコの人がみんな親切だった話』『イタリア人の僕が日本で精神科医になったわけ』（すべてイースト・プレス）などがある。

大人もときめく
国語教科書の名作ガイド

2023(令和5)年12月25日　初版第1刷発行

著　　者：山本茂喜
イラスト：野宮レナ
発 行 者：錦織圭之介
発 行 所：株式会社　東洋館出版社
〒101-0054　東京都千代田区神田錦町２丁目９番１号
コンフォール安田ビル２階
代表　　電話 03-6778-4343
営業部　電話 03-6778-7278
振替 00180-7-96823
URL https://www.toyokan.co.jp
デザイン・組版：佐藤紀久子、西野真理子（株式会社ワード）
印刷・製本：株式会社シナノ

ISBN978-4-491-05391-2　Printed in Japan